U0137014

DRAWING

the art college admittance
self-service handbook

美术高考自助手册
速 写

毛毛/主编

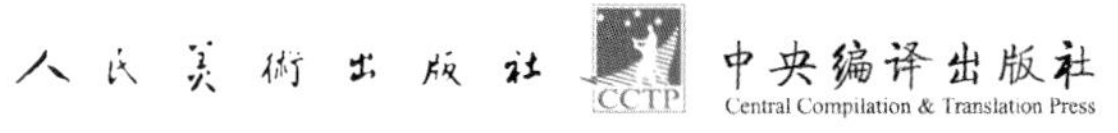
人民美術出版社 CCTP 中央编译出版社 Central Compilation & Translation Press

图书在版编目（C I P）数据

速写 / 毛毛著.—北京：中央编译出版社，2009.6
(美术高考自助手册)
ISBN 978-7-80211-956-7
I. 速… II.毛… III.速写－技法（美术）－高等学校－入学考试－自学参考资料 IV.J214
中国版本图书馆CIP数据核字（2009）第083729号

Hi!美院 美术教育丛书编委会

主　编：毛　毛

编　委：
赵春笑 刘渊文 贺海锋 李少奇 李学兵 张海亮 周达 元忠宝 霍亮
蔡建章 吴本启 李振 周云华 邢华斌 娄君鹏 王玮 董芃 刘伟

美术高考自助手册（速写）

出 版 人：和　龑
责任编辑：韩慧强
特邀编辑：吉　祥
选题策划：刘　墁
书籍设计：杨耀宇 胥婧
责任印制：尹　珺
出版发行：中央编译出版社
地　　址：北京西单西斜街36号（100032）
电　　话：（010）66509360　66509236（总编室）
（010）66509405（编辑室）（010）66509618(读者服务部)
（010）66509364（发行部）（010）83822113（直销）
网　　址：http:/www.cctpbook.com
经　　销：全国新华书店
印　　刷：北京佳信达欣艺术印刷有限公司
开　　本：889×1194毫米 1/16
印　　张：44
版　　次：2009年6月第1版第1次印刷
总 定 价：276.00（本册定价69.00元）

本社常年法律顾问：北京大成律师事务所首席顾问律师 鲁哈达

INTRODUCTION

编者的话

拿到这套精美的书籍时，我的心中充满喜悦与感动。父母从不会吝惜对自己孩子的赞美，因为只有他们自己才知道孕育一个生命的操劳与艰辛。《美术高考自助手册》系列丛书的诞生，经历了从最初的策划，到广泛征求意见，组织稿件，再到精心的编写与最终的设计编排、出版等一系列漫长的过程。它的诞生凝结了编委们付出的心血，在我们反复地调整与修改之后，《美术高考自助手册》系列丛书终于像一颗被精心雕琢的宝石，出现在大家面前。

本丛书专为广大渴望进入优秀的美术院校的同学们编写，有极强的针对性。它真正做到了内容精良，方便实用。无论在平日的学习生活里，还是在备考的日子中，广大美术考生都能从本丛书里得到有益的启迪和帮助。书中主要作品的作者，都是以优异成绩考入中央美术学院、清华大学美术学院等名校的在读学生。他们绘画功底深厚，高考经验丰富，与面临美术高考的同学们年龄跨度较小，经历近似。这使得本丛书中的作品更适合广大美术高考生参考、研习，本丛书所介绍的高考经验同样具有参考价值。希望同学们能从本丛书中受益，得到提高。

《美术高考自助手册》系列丛书集绘画理论、作品赏析、疑难解答、美术高考实用信息等为一体，内容丰富翔实，结构科学系统，文字洗练流畅，是你的一位能力超群的美术教师，按照美术学院的教学大纲及高考要求的示范优秀作品，给你深入浅出、循序渐进地详细讲解；也是你一位身经百战的成功学长，结合各大艺术院校的实际情况，为你提供最详尽的高考攻略；更是你最亲近的同学，与你一起报考美院，分享你高考路上每一个难忘的瞬间。

最后，衷心感谢《美术高考自助手册》系列丛书的全体编委与入选作品的作者们，是大家的共同努力成就了这位广大美术高考生的良师益友。

HOW TO GET MOST OUT OF THIS BOOK

如何更好地使用本书

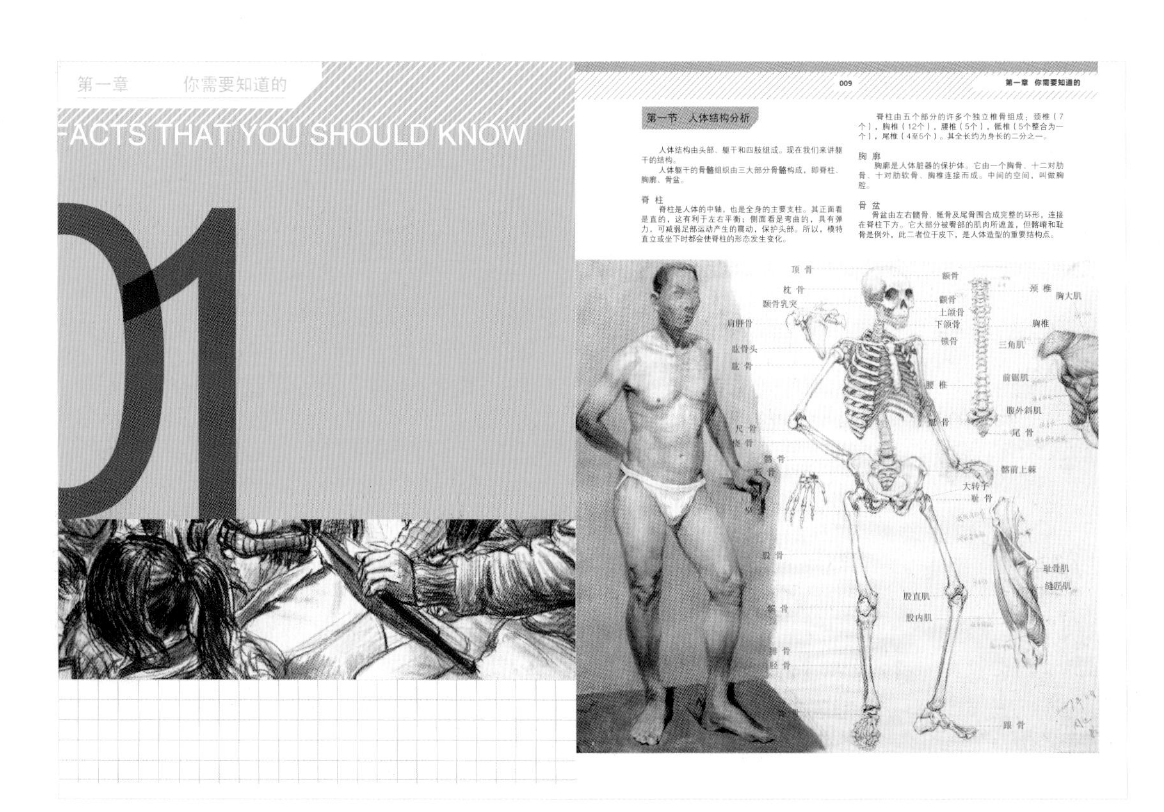
第一章　你需要知道的

FACTS THAT YOU SHOULD KNOW

01

009　第一章　你需要知道的

第一节　人体结构分析

人体结构由头部、躯干和四肢组成。现在我们来讲躯干的结构。

人体躯干的骨骼组织由三大部分骨骼构成，即脊柱、胸廓、骨盆。

脊 柱

脊柱是人体的中轴，也是全身的主要支柱。其正面看是直的，这有利于左右平衡；侧面看是弯曲的，具有弹力，可减弱足部运动产生的震动，保护头部。所以，模特直立或坐下时都会使脊柱的形态发生变化。

脊柱由五个部分的许多个独立椎骨组成：颈椎（7个），胸椎（12个），腰椎（5个），骶椎（5个整合为一个），尾椎（4至5个）。其全长约为身长的二分之一。

胸 廓

胸廓是人体脏器的保护体。它由一个胸骨、十二对肋骨、十对肋软骨、胸椎连接而成。中间的空间，叫做胸腔。

骨 盆

骨盆由左右髋骨、骶骨及尾骨围合成完整的环形，连接在脊柱下方。它大部分被臀部的肌肉所遮盖，但髂嵴和耻骨是例外，此二者位于皮下，是人体造型的重要结构点。

本手册第一章介绍基础理论知识。在成为一名美术高考生之前，这些知识都是你必须知道的。

第二章至第四章，本手册将告诉你如何完成一幅优秀美术试卷。它向你展示作画步骤、局部刻画技巧，还有大量精选的优秀作品供你参考。

美术高考自助手册 速写 170

第一节 速写中的问题与答疑

1.什么是速写?

答：速写是一种快速的写生方法，它是我们学习造型时必不可少的一门环节。速写在很多时候被包含在素描的概念里，我们通常说的"速写"，重点是强调了时间的长短。它同样有空间感、黑白灰关系等，对它的掌握是培养我们的造型能力、概括能力等不可或缺的基础。作为一门独立的艺术形式，它也有自己相应的技法和材料。

2.为什么初学者画速写要由快到慢?

答：因为初学者一般缺少对观察能力和概括能力的训练，在整个过程中，很难做到下笔准确，所以，循序渐进的做法是最适合初学者的。

3.画速写的工具有哪些?

答：速写的基本工具是笔和纸。
笔有铅笔、炭笔、钢笔、木炭条。
纸有图画纸、新闻纸、速写本、速写画夹。

4.铅笔、炭笔、钢笔、木炭条各有什么特点?

答：铅笔：凡画过速写的人都有使用铅笔的经验，画速写适宜使用3B至6B的铅笔，容易接受来自手的压迫作用，画出细腻多变的笔迹效果，是画速写最容易掌握的工具。

炭笔：炭笔的使用方法近似于铅笔，色素比铅笔深，在线条的变化和黑白层次的变化方面比铅笔更加丰富，初学者使用最普遍。

钢笔：钢笔用墨水作画，易于携带，笔迹不易擦花。商店有专门用于速写的钢笔，能画出粗细不同的线条，有相当的表现力。但是修改错误时较困难，初学者掌握起来难度要大一些。

木炭条：适宜画纸张大一些的速写，常常采用侧卧行笔，线条粗犷、简洁，富于艺术表现力。缺点是容易脱落，需要在画后喷定画液来保存。

5.速写考试用什么笔更好?

答：铅笔是我们掌握最好、使用最多最熟练的工具，而且它表现力丰富，又有软硬可以选择，加上容易用橡皮擦修改，所以一般来说，考试都使用铅笔。

6.如何进行面部表情的刻画?

答：与素描一样，速写中的人物表情也是重点的部分。我们要在仔细观察对象的基础上，用比较实的线条流畅地交代出五官、脸型，对于神态可以适当地夸张，以便达到更加生动的艺术效果。

7.如何表现手?

答：手和面部一样，都是揭示人物情绪的重要部分，它们也有着同样复杂的结构，对我们的刻画造成了一定的难度。手的姿态千变万化，而它的结构是由手腕、手掌和手指三部分组成。要记住的是，无论多么复杂的姿态，他们关节的连接处是不会改变的。在确定形体结构准确以后，再对关节处的皮肤纹理作一些深入的刻画，使其更加传神。女性的手要画的柔美，应多采用曲线，男性的手则多用直线，以表现阳刚之美。

8.如何用线面结合的方式画速写?

答：线面结合的方式以线为主，面的运用意在表明物体的明暗或固有色彩，所以，黑、白、灰的层次处理也很重要，它们在画面上能形成反衬、对比关系。黑通过白才能达到极致，而白也需要黑的存在才会充分体现其价值，在黑白二色之间有着广阔丰富的灰面层次，这是绘者要着重深入刻画的地方。这一层次的递进处理直接关系到画面的丰富性和深入性，而画面能否出彩，主要就靠灰这一层次来展现。

9.画场景速写时怎么处理好背景?

答：要场景速写的背景起到烘托气氛的作用，我们要准确地把握它的透视，对复杂的背景进行主观的概括与取舍。

10.怎样画好动态速写?

答：[illegible]

11.什么是慢写?

答：[illegible]

12.好速写的标准是什么?

答：合理的构图，正确的比例，准确的空间关系，清楚的人物穿插，流畅的线条，生动的动态和神态，精到的细节刻画。

13.速写有哪几种表现方法?

答：速写有线条的表现方式，块面的表现方式，以及线面结合的表现方式。

14.近期画画感觉没有以前好，如何调整?

答：[illegible]

15.缺少对于考试的紧迫感，只是着急，怎么办?

答：[illegible]

第二节 速写的评分标准

大多数情况下，美术考试是有规律可循的。这个规律就是高校老师对高考试卷的评分标准。[illegible]

在评卷现场，[illegible]

171 第五章 去美院吧

的卷子再继续按照构图、造型、黑白灰关系、细节处理等要素分出若干等级。相对而言，那些在第一步就被淘汰的卷子就是因为上述几个要素都没有达到相应的要求。

下面是考卷的评分标准(以满分为100分计)：

A类卷(90－100分)：
1.符合试题规定及要求；
2.比例正确，动态特征鲜明生动，能熟练、概括地运用线条来表现客观对象；
3.能根据命题想象人体的动态，表达出规定动作的特点和组合能力；
4.关键细节有确切表现。

B类卷(75－89分)：
1.符合试题的规定及要求；
2.比例比较准确，动态特征比较鲜明，写生动态线条比较生动；
3.能较好地表达命题想象规定的动作和组合能力。

C类卷(60－74分)：
1.基本符合考题的规定及要求；
2.对不同变化的对象动态、比例能基本把握，但动态较呆板，线条表现力一般；
3.基本能画出命题想象的动态和人物组合，但想象力有限，缺乏生动性。

D类卷(59分以下)：
1.不符合试题规定及要求；
2.在比例动态上缺乏准确性和生动性，速写的写生能力和想象能力均较为薄弱，线条表现力差；
3.不具备速写基本能力，画面效果差。

第三节 近年部分院校速写考题

中央美院
09造型专业
速写写生(4开，1小时)
08造型专业
速写：画考试现场，要求3－5人
设计专业
速写：窗前的中年妇女

清华美术学院
08造型：
人物速写：1.站立，重心在右腿，双臂交叉在前 2.坐在椅子上的 3.靠椅背站立

广州美术学院
08(河南考点)
创意速写/创作：夏天的阳光

天津美术学院
09速写：三个人物动作：站，坐，蹲，都在看手里拿着的报纸

北京服装学院
08创意速写：以太阳与车轮为设计元素，分别表示快速(车轮)、缓慢(太阳)

中国传媒大学
08戏剧影视美术专业(北京考点)
人物速写：一个静态(5分钟) 一个动态(15分钟)

首都师范大学
09第一场：速写，男年青写生(两张，一站一坐)
第二场：速写，男青年写生(两张，一站一坐)
08速写：人物写生，一站一坐

湖北美术学院
08速写：人物照片，选其中两个人物来画

中国人民大学
09速写：男青年写生(两张，一站一坐)

河北联考
09速写：单手扶膝的男青年写生
08写生：人物坐姿(20分钟)

河南联考
08动态速写：默写提水桶的人

湖南联考
08速写：人物坐姿(45分钟)

第四节 部分院校乘车路线

中央美术学院
从北京站出发
线路 1 从北京站出发，乘坐地铁2号线外环(西直门－西直门)，在东直门换乘地铁13号线(西直门－东直门)，到望京西下车，在城铁望京西站换乘471路(城铁望京西站－城铁望京西站)，抵达花家地南街，约15.14公里
线路 2 从北京站出发，乘坐24路下行(北京站－左家庄)，在左家庄换乘975路区间上行(东直门外－后沙峪公交场站)，抵达花家地南里，约13.52公里
从北京西站出发
线路 1 从北京西站出发，乘坐47路下行(小马厂－海淀桥东)，到长椿街路口东下车，在长椿街换乘地铁2号线内环(积水潭－积水潭)，在东直门换乘地铁13号线(西直门－东直门)，到望京西下车，在城铁望京西站换乘471路(城铁望京西站－城铁望京西站)，抵达花家地南街，约29.64公里
线路 2 从北京西站出发，乘坐823路下行(北京西站－东直门外)，在东直门外换乘975路区间上行(东直门外－后沙峪公交场站)，抵达花家地南里，约27.49公里

清华大学美术学院
从北京西站出发
线路 1 北京西站乘320路上行(北京西站－西苑)在清华大学西门下车。全程约13.74公里
线路 2 北京西站乘319路上行(北京西站－西苑)在清华园下车。全程约14.94公里
从北京站出发
线路 1 北京站口东乘37路上行(方庄北口－航天桥东)在国家工商总局 下车换乘319路上行(北京西站－西苑)在清华园下车。全程约20.5公里
线路 2 北京站口东乘52路下行(平乐园－北京西站)在木樨地东下车换乘320路上行(北京西站－西苑)在清华大学西门下车。全程约18.87公里

中国美术学院
从火车站出发
线路 1 从火车站出发，乘坐K188路(汽车北站－城站火车站)在开元路换乘38/K38路(朝晖五区－清波门)抵达钱王祠路口，约3.37公里
线路 2 从城站火车站出发，乘坐Y2路(城站火车站－灵隐)在清波门换乘38/K38路(朝晖五区－清波门)抵达钱王祠路口，约3.53公里

首都师范大学

第五章中，本手册会告诉你在进入美院的过程中所必要的实用信息。有些信息能令你在专业上得到提高，有些能作为你的考试攻略，给你全面的考点信息。

CONTENTS

目录

第三章 它们好在哪里？

第四章 你的作品也可以像它们一样

第五章 去美院吧

作品索引

第一章　　你需要知道的

FACTS THAT YOU SHOULD KNOW

第一节 人体结构分析

人体结构由头部、躯干和四肢组成。现在我们来讲躯干的结构。

人体躯干的骨骼组织由三大部分骨骼构成，即脊柱、胸廓、骨盆。

脊 柱

脊柱是人体的中轴，也是全身的主要支柱。其正面看是直的，这有利于左右平衡；侧面看是弯曲的，具有弹力，可减弱足部运动产生的震动，保护头部。所以，模特直立或坐下时都会使脊柱的形态发生变化。

脊柱由五个部分的许多个独立椎骨组成：颈椎（7个），胸椎（12个），腰椎（5个），骶椎（5个整合为一个），尾椎（4至5个）。其全长约为身长的二分之一。

胸 廓

胸廓是人体脏器的保护体。它由一个胸骨、十二对肋骨、十对肋软骨、胸椎连接而成。中间的空间，叫做胸腔。

骨 盆

骨盆由左右髋骨、骶骨及尾骨围合成完整的环形，连接在脊柱下方。它大部分被臀部的肌肉所遮盖，但髂嵴和耻骨是例外，此二者位于皮下，是人体造型的重要结构点。

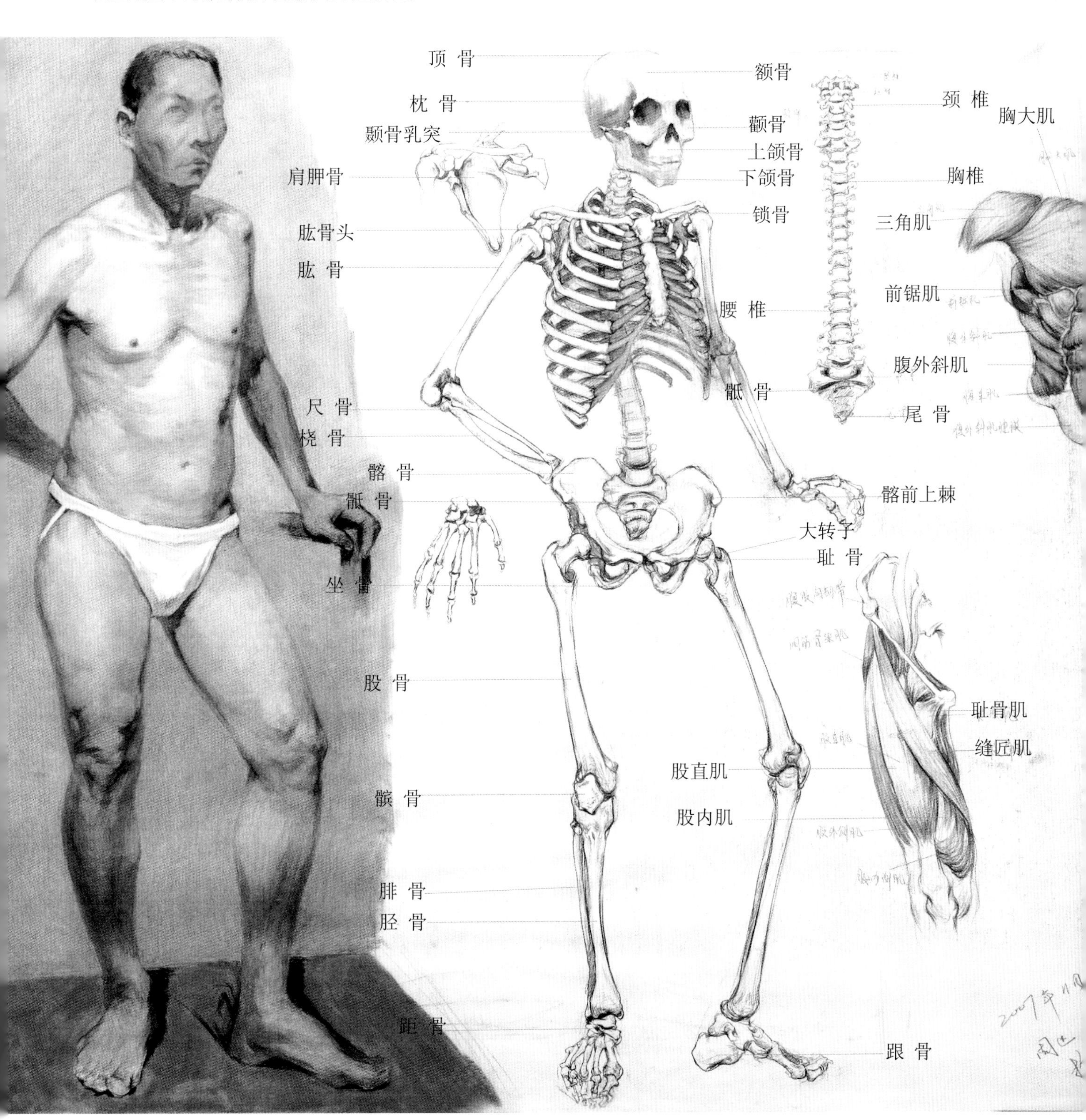

第二节 速写的基本要素

构 图

构图首先要考虑的是四个边，它们既是画面的边界，也是画面的一个部分。如果在画速写时需要画几个人，就要考虑到各个人物的穿插、空间关系以及各个人物之间的关系，这在构图上就比静物和素描更为复杂。同时，也提供了更多的可能性，尤其在有场景搭配的时候，是体现作者的艺术感觉，对疏密、视觉焦点控制、空间透视掌握的好机会。多人速写的构图没有一定的法则可循，但一定要注意疏密关系，把主要刻画的人物放到焦点上。

比 例

一般来说人身高是七个头长，所以在起笔的时候只将头部粗略画成一个蛋形，目的是取头部的大小作为整个人物身高的比例参照标准。

透 视

如果我们和速写对象有一定距离，那么场景中就存在透视问题。如果我们和速写对象的位置比较接近，或者是多人速写的话，透视的问题就更加重要了。应该先按照“近大远小”的原则画几条辅助线，这样就比较容易准确地把握空间关系了。

动 态

在速写中，绘画对象可能就是现场的其他绘画者，而没有专门的模特。所以，在动态问题上就会有对象变换姿势的情况。这就需要在清楚刚才讲过的比例和透视等问题的基础上比较迅速地将人体复杂的机体组织简化成各种几何形体。比如，身体是立方体，四肢是圆柱体，也可以进一步在外轮廓边沿线上寻找向内延伸的切线来表现形体的内部结构。这样处理，即使模特姿势有变化，也比较好掌握。

重 心

腿部与表现人物平衡的关系最密切。一般来讲，头部和支撑身体的那只脚应该在一条垂线上。所以，应该先确定头部的位置，再来勾出腿和脚，其间根据对象的动作变化也可以作出适当的调整，使重心达到平衡。

黑白灰

速写和素描一样，都是单色的画面，所以，黑白灰的关系就显得很重要。在以线为主的速写中，黑色、灰色部分多用线条的密集排列来表现。在以面为主的速写中，可用粗线条的侧锋，甚至手指轻擦来形成黑色、灰色。线面结合的速写有了更多的搭配方式，我们根据画面的节奏来选择表现手法，更有利于表现画面中黑白灰的关系。

细 节

不管是在素描、色彩中，还是速写中，细节都是观众最在意的部分，画面上的若干兴趣点就是画龙点睛之笔。速写中的细节多集中在人的头部、衣领、手、鞋子，以及交代关键结构和转折的衣纹部分。虽然速写的时间限制了刻画的精准，但是一定要简练、到位地抓住细节的特征。

第三节 速写的表现形式

以线造型

以线造型是速写中最常用的表现形式。其方法是以单线的形式将物体的轮廓、结构概括成线，有时配以装饰线条，以此来表现物体的特征和传达人物的神态。选择这种表现方式要注意线条的运用和方向、疏密，在结构转折的地方和面部五官部分要实、肯定，在衣纹等次要部分用线要虚一些。

线面结合

线面结合也是比较常见的方式。线、面两种元素的结合能增强速写艺术的表现力，使画面的气氛更加富于变化。线面结合方式以线为主，面的运用则意在表明物体的明暗或固有色彩，所以黑、白、灰的层次处理也很重要，它们在画面上能形成反衬对比关系。黑通过白才能达到极致，而白也需要黑的存在才会充分体现其价值，在黑白二色之间有着广阔丰富的灰面层次，这是绘者要着重深入刻画的地方。这一层次的递进处理直接关系到画面的丰富性和深入性，画面能否出彩，主要就靠灰这一层次来展现。

ROM PAPER TO WORKS
2

第一节 局部刻画技巧

头、手

头和手是人物速写的主体部分，所以都是重点刻画、需要实的地方，应多用清晰、准确的线条。这二者也是表现人物情绪的部位，所以，我们对五官、手指的动作要刻画到位。

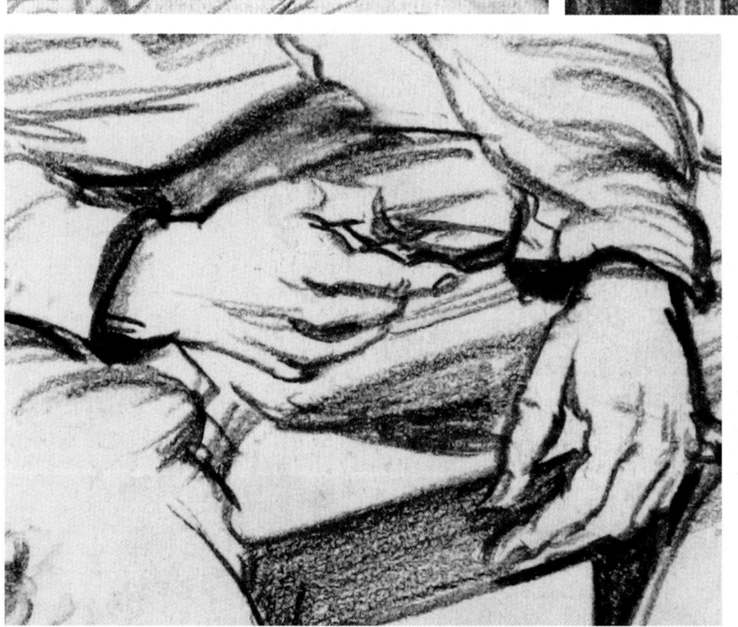

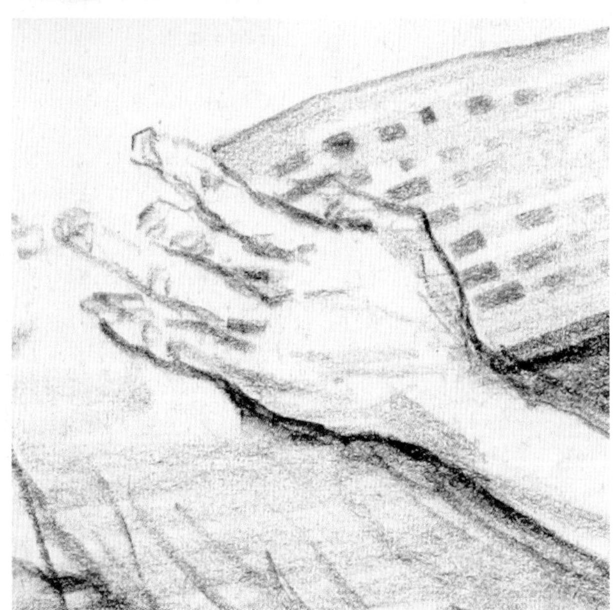

背

背部的线条相当重要，从颈部开始，一直到臀部应尽量一气呵成。这是人物的动态线，所以要求用笔要实，要到位，如果觉得画得不太准确，可以补上一笔调整一下。但不要计较出现的细节错误，因为在接下来的刻画中可以采取随机应变的办法进行调整。

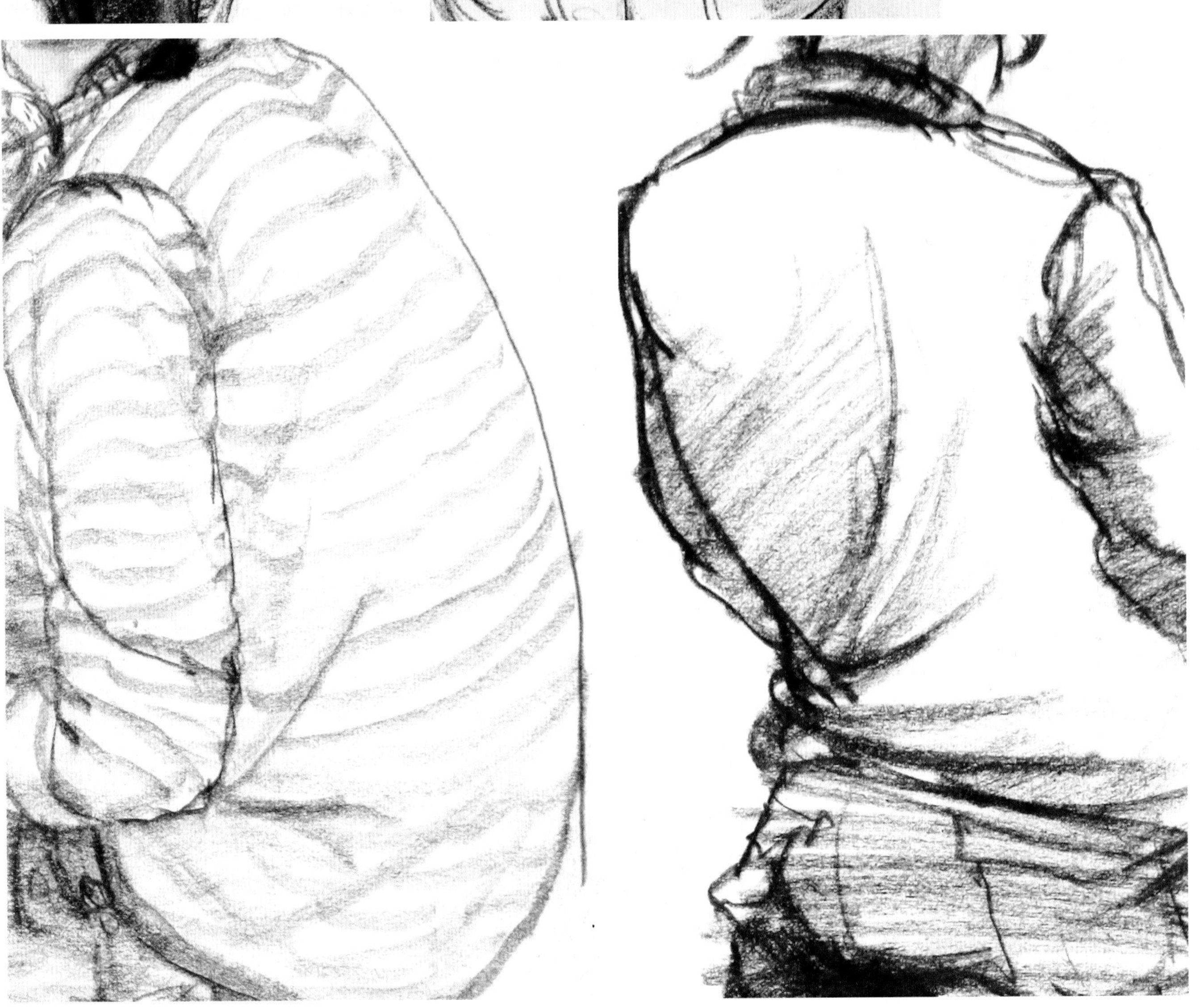

臂

手臂一般是比较虚的部分，这是因为看不到骨点、肌肉的地方在逻辑范围内有很多自由变化。但至少需要明确肩膀和手肘两个点。如果模特穿的是贴身的衣服，那么，凡牵涉肌肉、骨骼等结构的地方，都需要画得准确一些。

腿

画腿的时候要以头部为参照。这里不仅要参照它的长度，像前面讲到的，腿部也牵涉到重心的问题。最好在画腿部之前先画出一条动向线，在这个基础上深入就会更有把握。就一般站姿而言，从臀部到脚后跟这一条线因为是贴紧肌肉的，所以需要准确清晰；如果腿是弯曲的，情况则正好相反。

衣 纹

在速写中，研究衣纹的表现规律是非常重要的。要知道，衣服穿在身上，贴身的地方产生的衣纹少，而不贴身的地方则衣纹多。在写生时，要把能够反映人体结构的贴身衣纹画实，比如腋下、膝盖；不能反映人体结构。不贴身衣纹要画虚，比如腹部、小腿。我们在观察的时候一定要意识到衣服是穿在人身上的，它只是包裹在骨骼和肌肉面上的一层布。

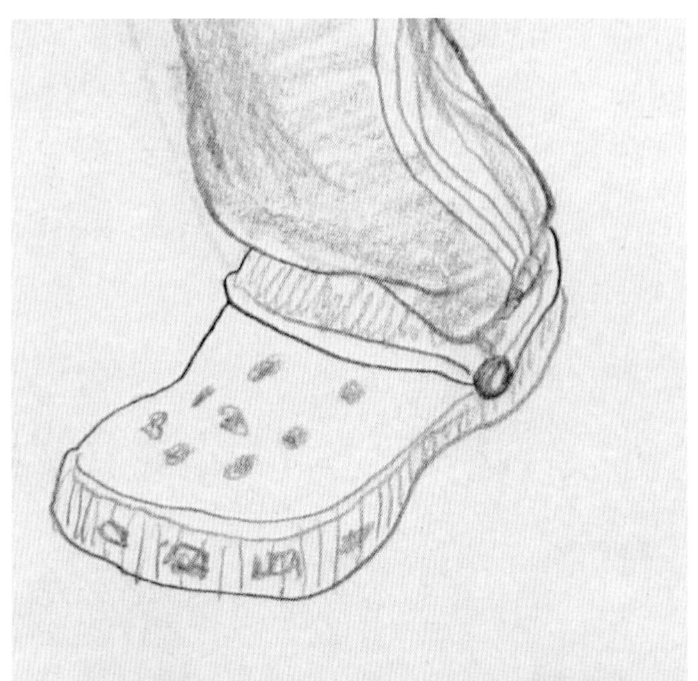

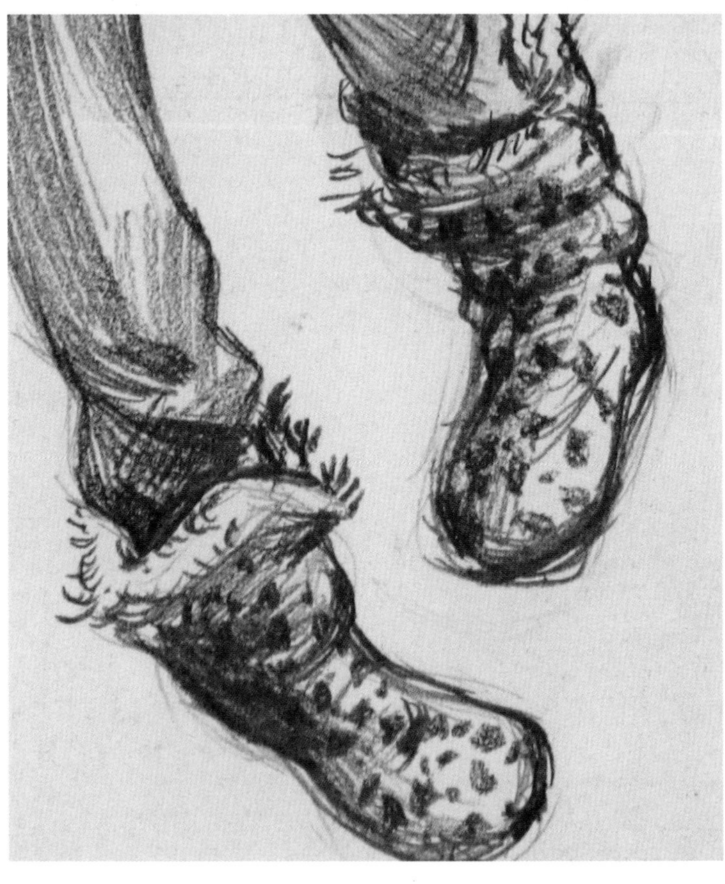

服　饰

在速写中，服饰的装点作用一般属于细节刻画的部分，对速写对象的性格也有一定的揭示作用。此处要画得轻松、生动，作一些主观的取舍。

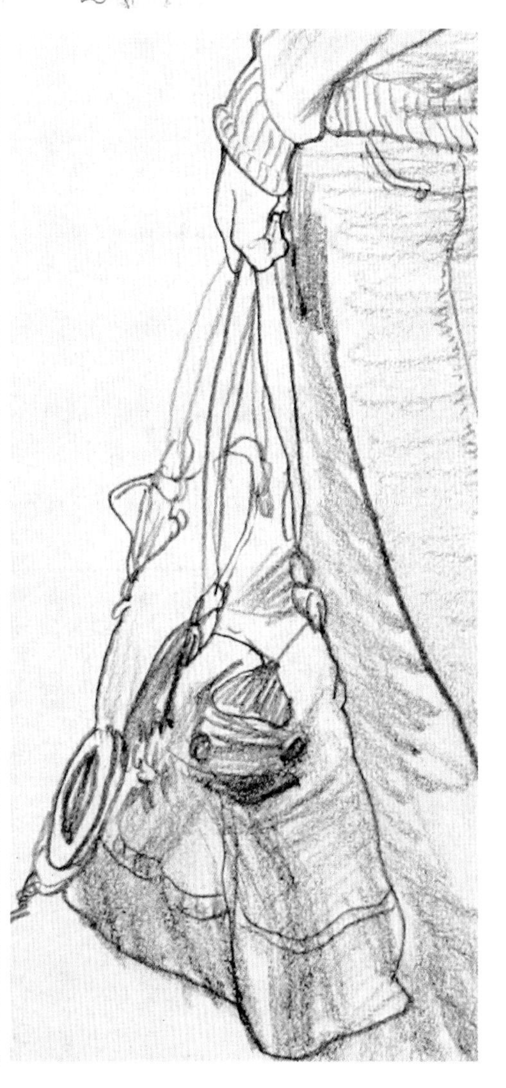

第三章 它们好在哪里？

WHAT MAKES THEM GOOD WORKS

第一节 以线为主

这张速写是用以线为主的方式完成的。整张画面线条流畅，用笔准确。腿部的线条全是画在结构上，面部的五官准确传神。一笔画准，这对作者眼睛的观察能力、手的表现能力要求都很高。

画面的疏密节奏主要是把密的部分放在头部、围巾和鞋上面。特别是对围巾的花纹、边，都有很仔细的刻画。我们可以从花纹的走向看出围巾的起伏转折，这便是在不用带有明暗的“面”的情况下，用“线”表示出了物体体积的一个典型的例子。其余的部分大多是用单线“白描”外轮廓，而在关键的结构位置，比如模特左臂弯曲的衣纹、腹部上衣的边及褶皱等，都有清楚的交代，仔细的刻画，并且与主体部分呼应起来，使得画面各个位置上都有内容，不空洞，同时把握了很好的节奏变化。

第二节　线面结合

线面结合可以使画面更为丰富，也是比较常见的速写方法。以这张范画为例，“线”的作用在于对轮廓的交代和细节的刻画，而“面”用于对固有色的提示和结构的丰富。远处的一条腿更是巧妙地处理成没有轮廓线的一块灰面，与近处用线面结合的素描方式刻画的腿相映衬造成了很强的空间感。同样，外衣也是用线面结合的方法来加强体积感的。

这张速写最出彩的地方是在头部及其周围，我们可以看到，帽子是用面来形成固有色的，面部突出了线条的运用，围巾则是线面结合的方式。各种手段的交替使用和相互融合，使得画面的这一部分内容非常丰富，引人注目，一下子就抓住了观众的视线。

第三节 场 景

带场景的速写，由于有人物的穿插、远近的透视、场景的选取等诸多因素造成了构图上的困难。一堆物体和很多个空间摆在面前，我们应该怎样取舍，怎样安排它们的位置呢？下面这张速写为我们提供了很好的范例。

我们先来看远近灰色的墙壁和两面墙壁的转折线，它们非常好地表明了空间的深度。靠前一些是画架，再近处是更大更亮的一个画架，以及墙上一排画框的透视，立即使观众感觉到了空间的前后关系和视线的高度。而最显眼的部分是最近处的这个人物，所以，作者用了较多的笔墨作重点刻画。我们可以看出，作者用线面结合的方式刻画了人物头部微低的动态，帽子与头发的关系，耳朵的细节，衣服的花纹，裤子则是牛仔裤。作者又在这个仔细刻画的人物周围多用深色来产生对比，使观众目光聚焦于主要人物。而远处的几个人则与环境的明暗关系反差不大，这都是为了制造出场景中的空间感。

画面黑白灰的节奏主要是靠对写生对象的取舍来完成的。墙壁、画框、画架的留白和人物刻画的丰富互相穿插，形成了明快的视觉效果，加上线条的流畅运用，因而，此画作是一张很好的场景速写。

第四章　你的作品也可以像它们一样

YOU CAN DO THIS

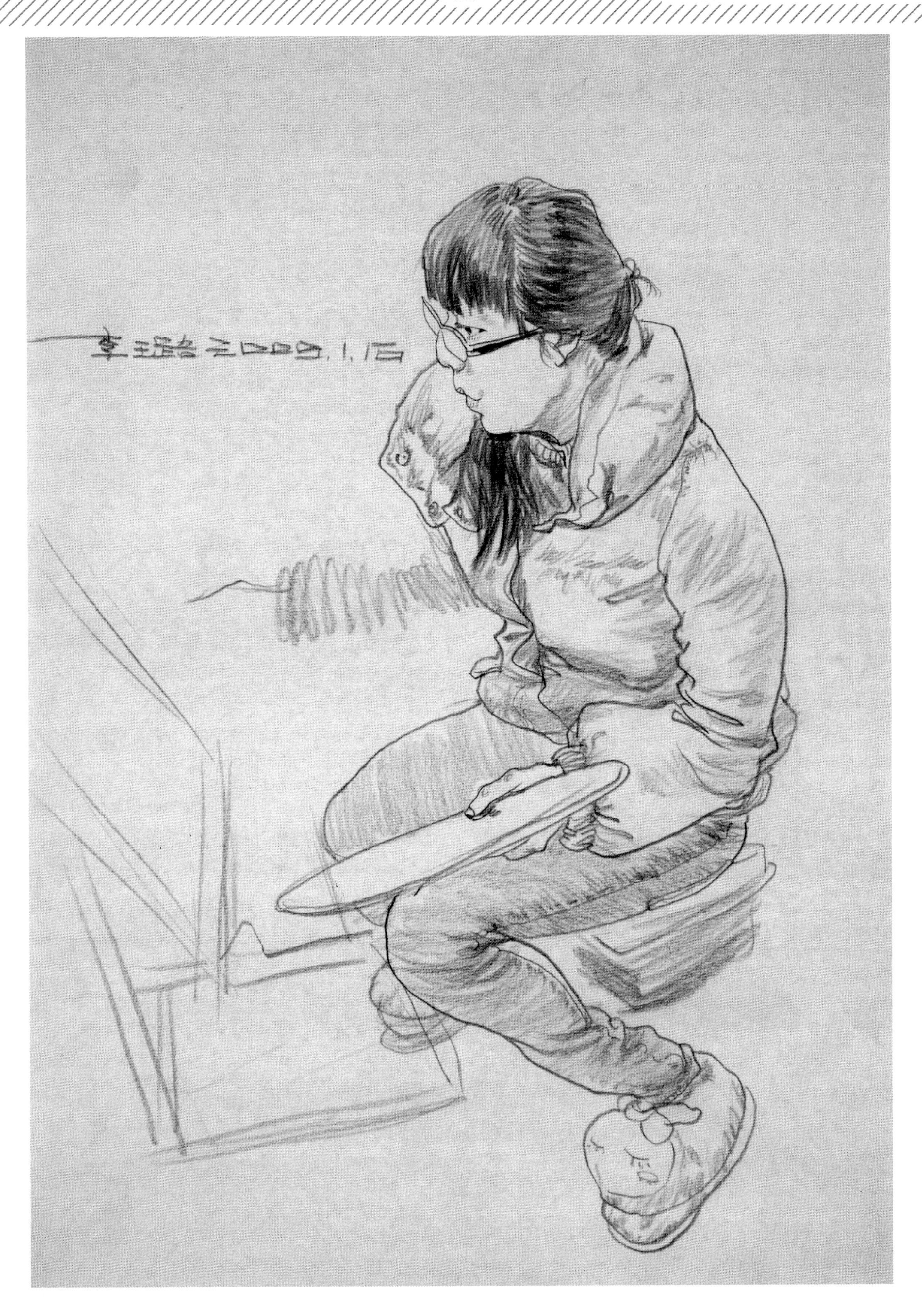

李璐2005.1.15

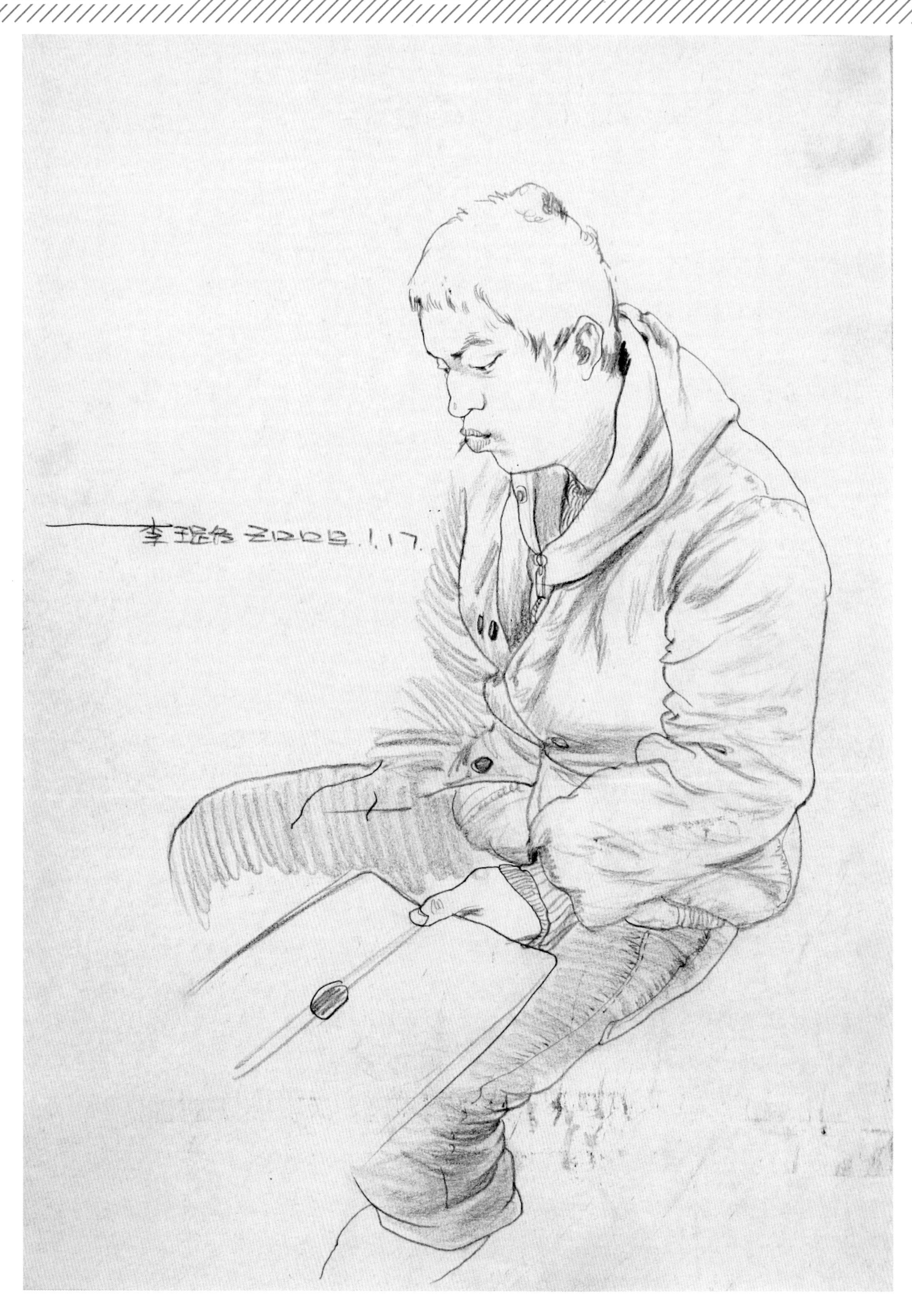

二〇〇一年七月

Limp bizkit

二〇〇二年十月

2008.10.31

2008.1.17

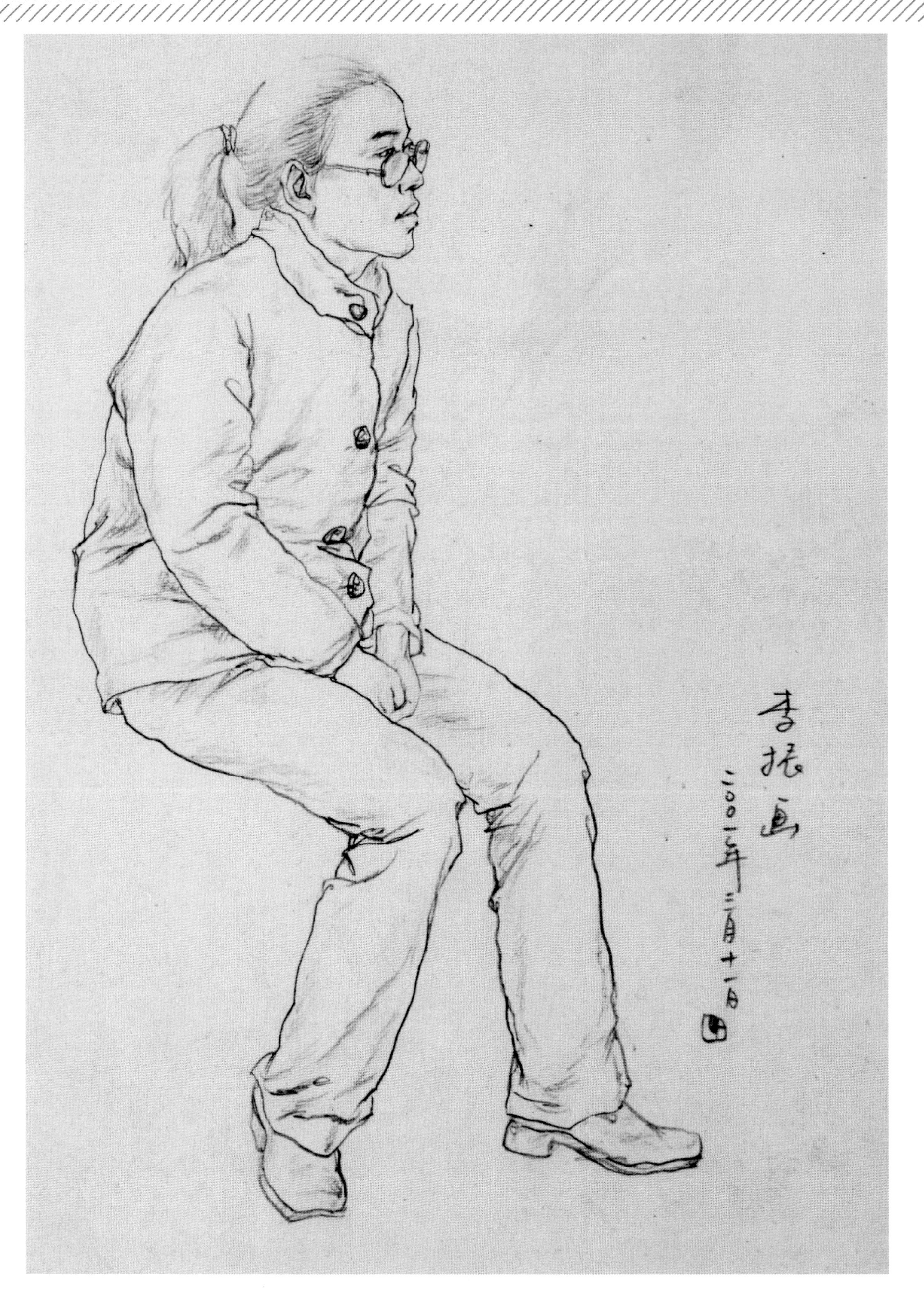

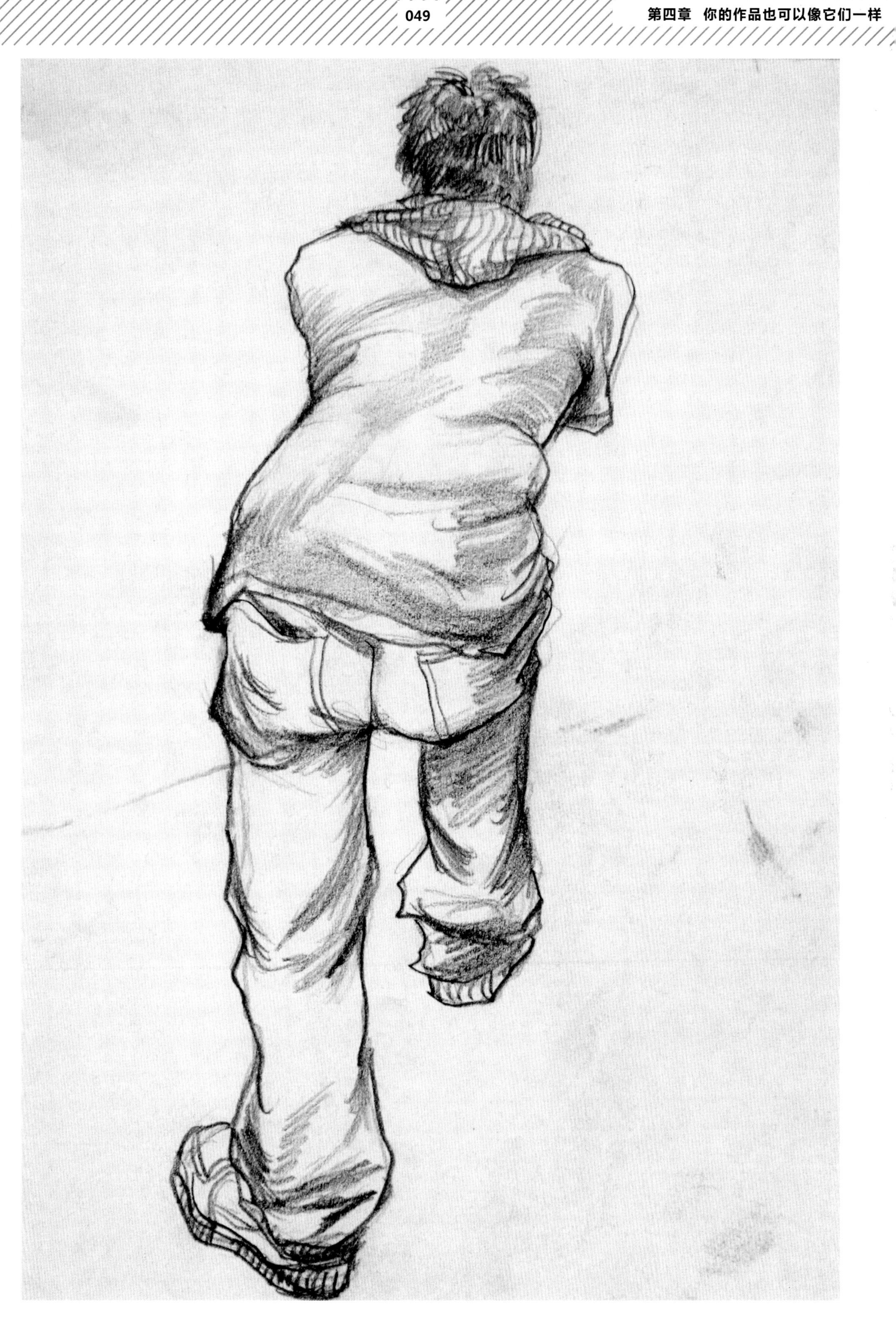

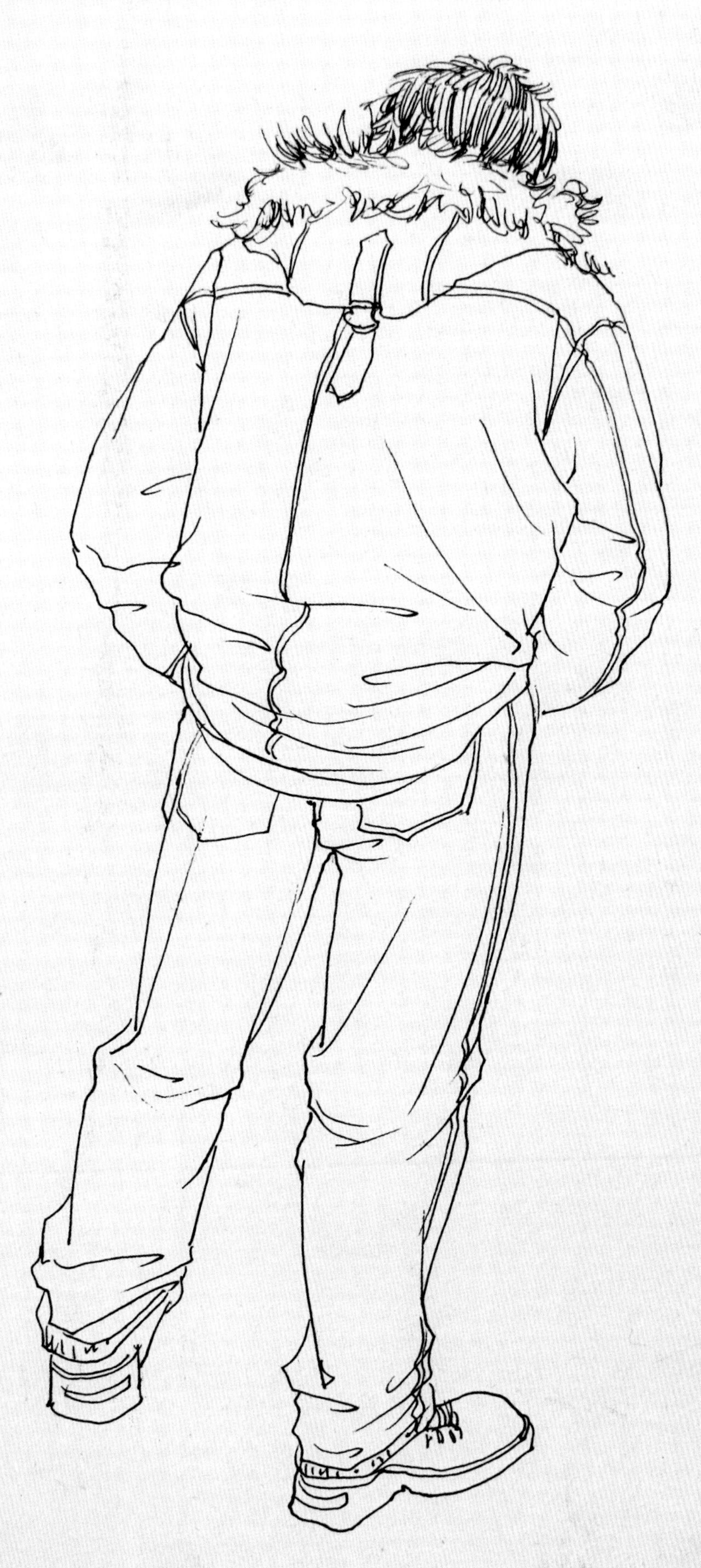

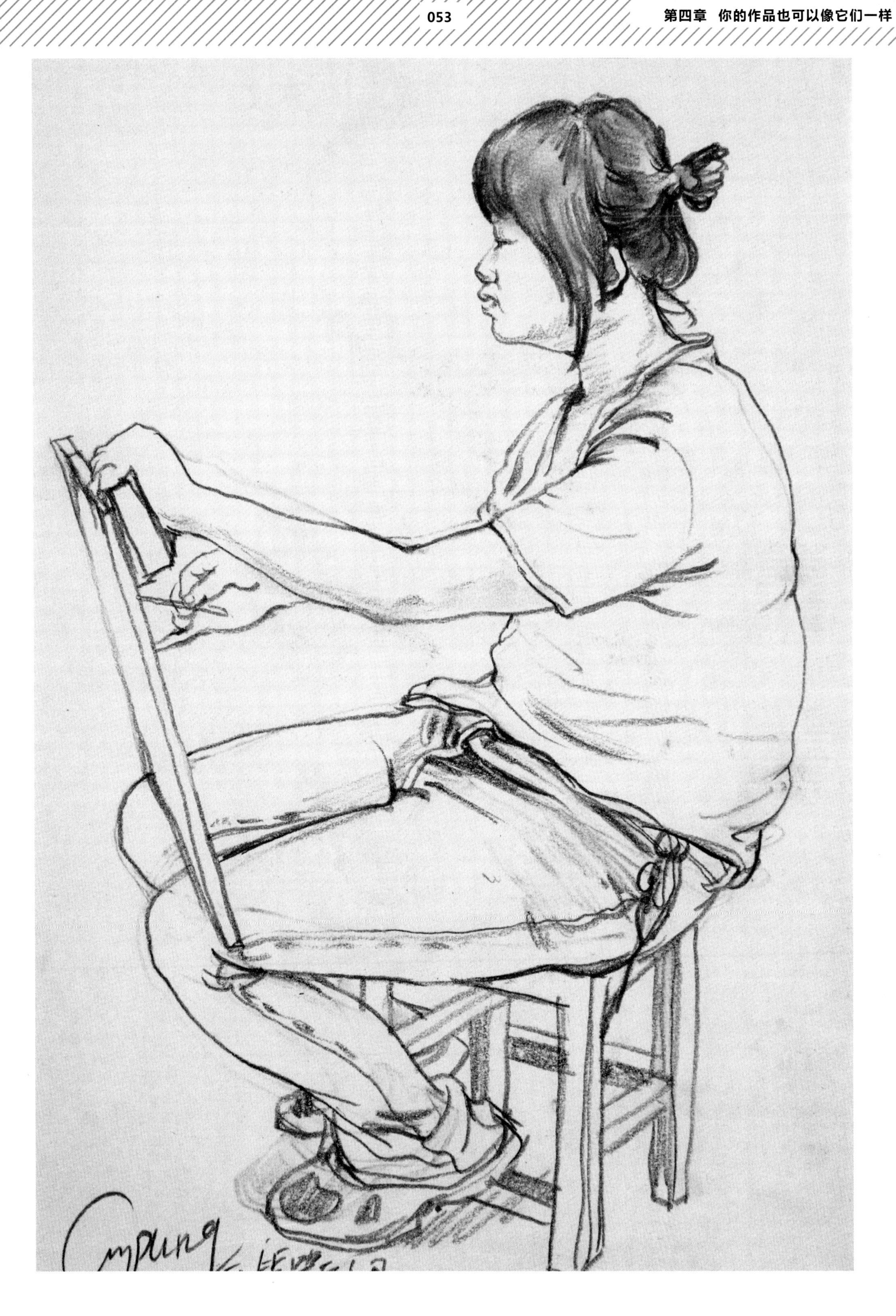

2009.1.15

2009.1.15

2006.9.10

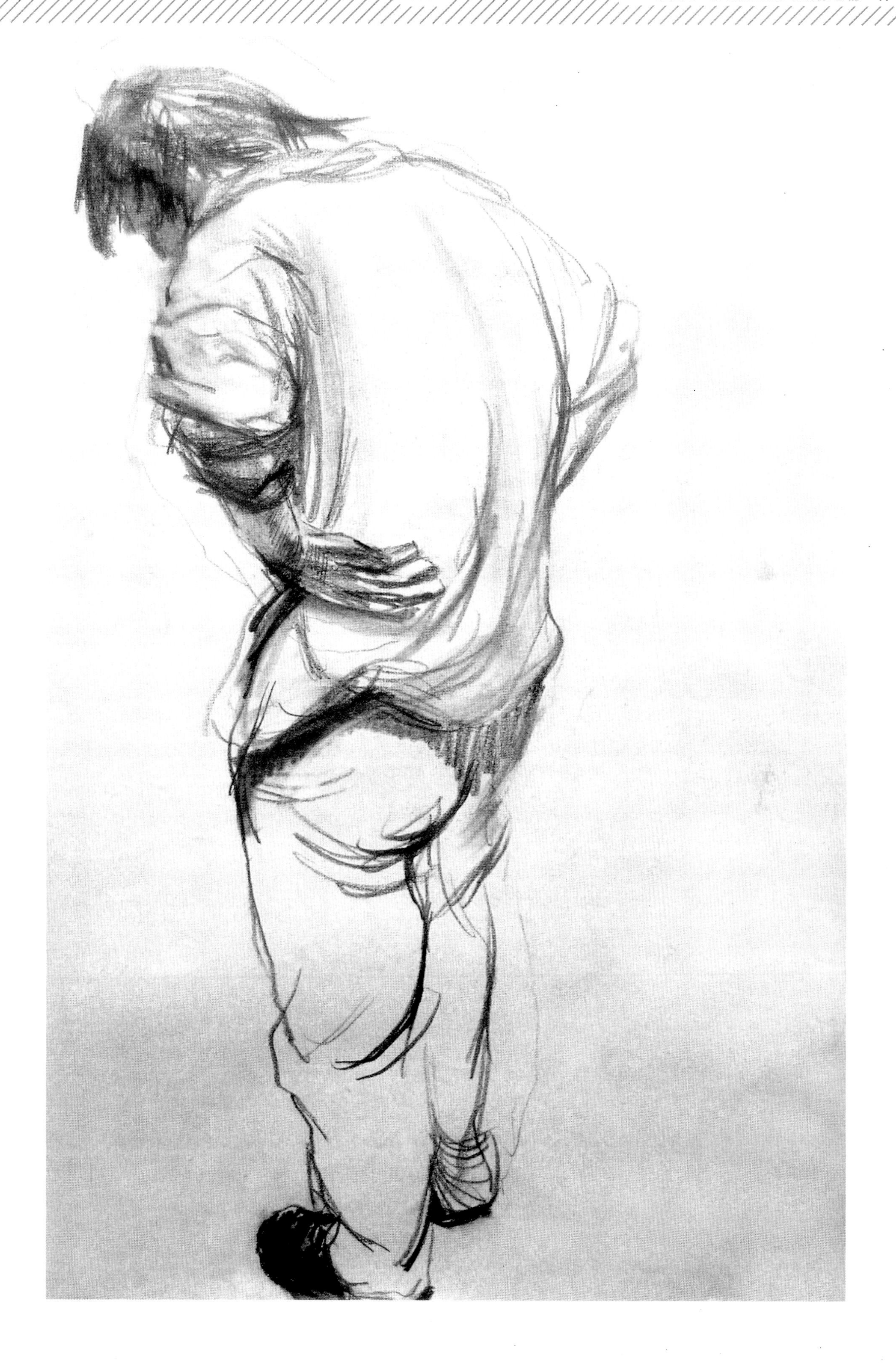

2004.9.16
中央美院

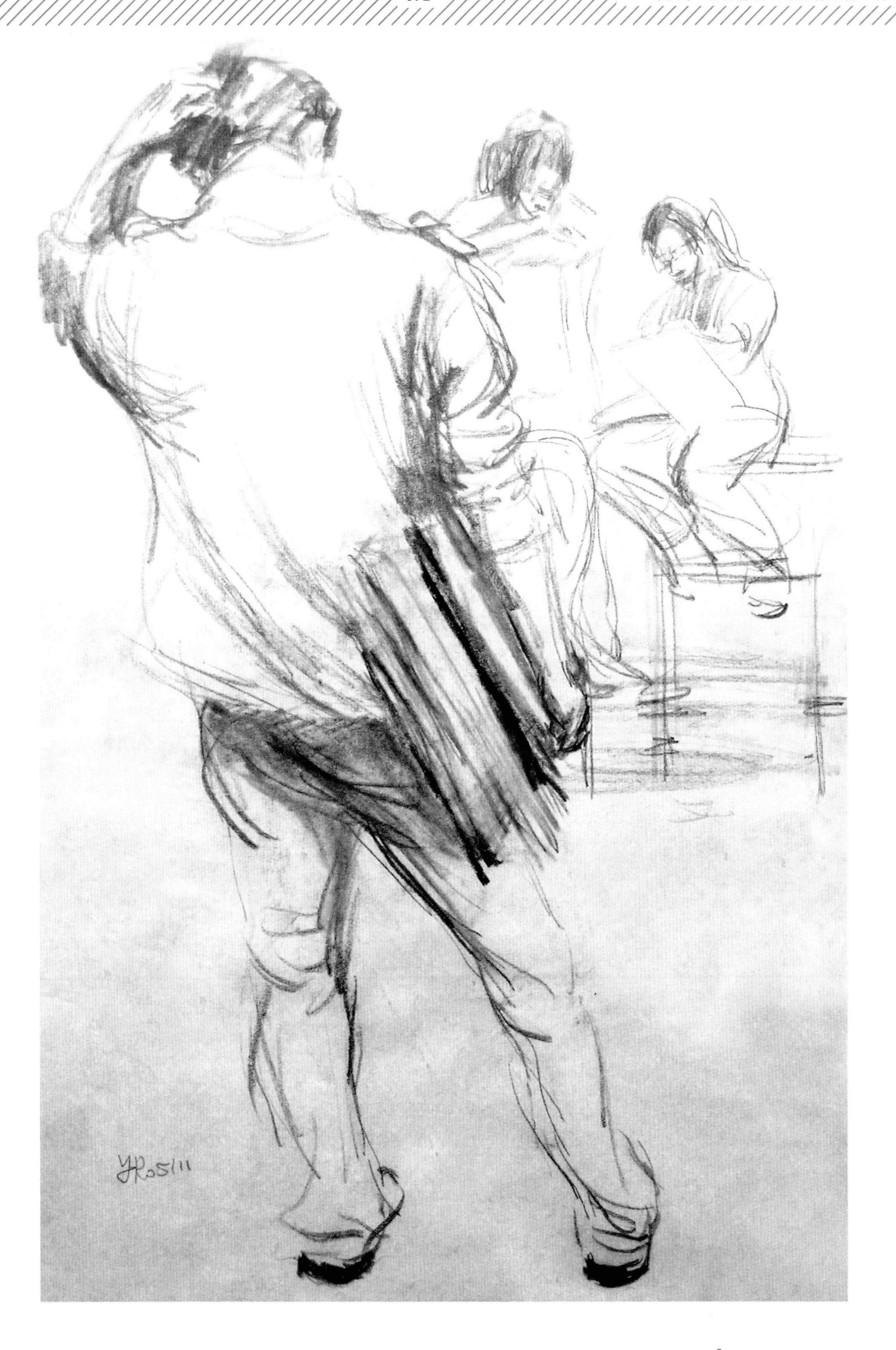
YK05/11

2008.9.3

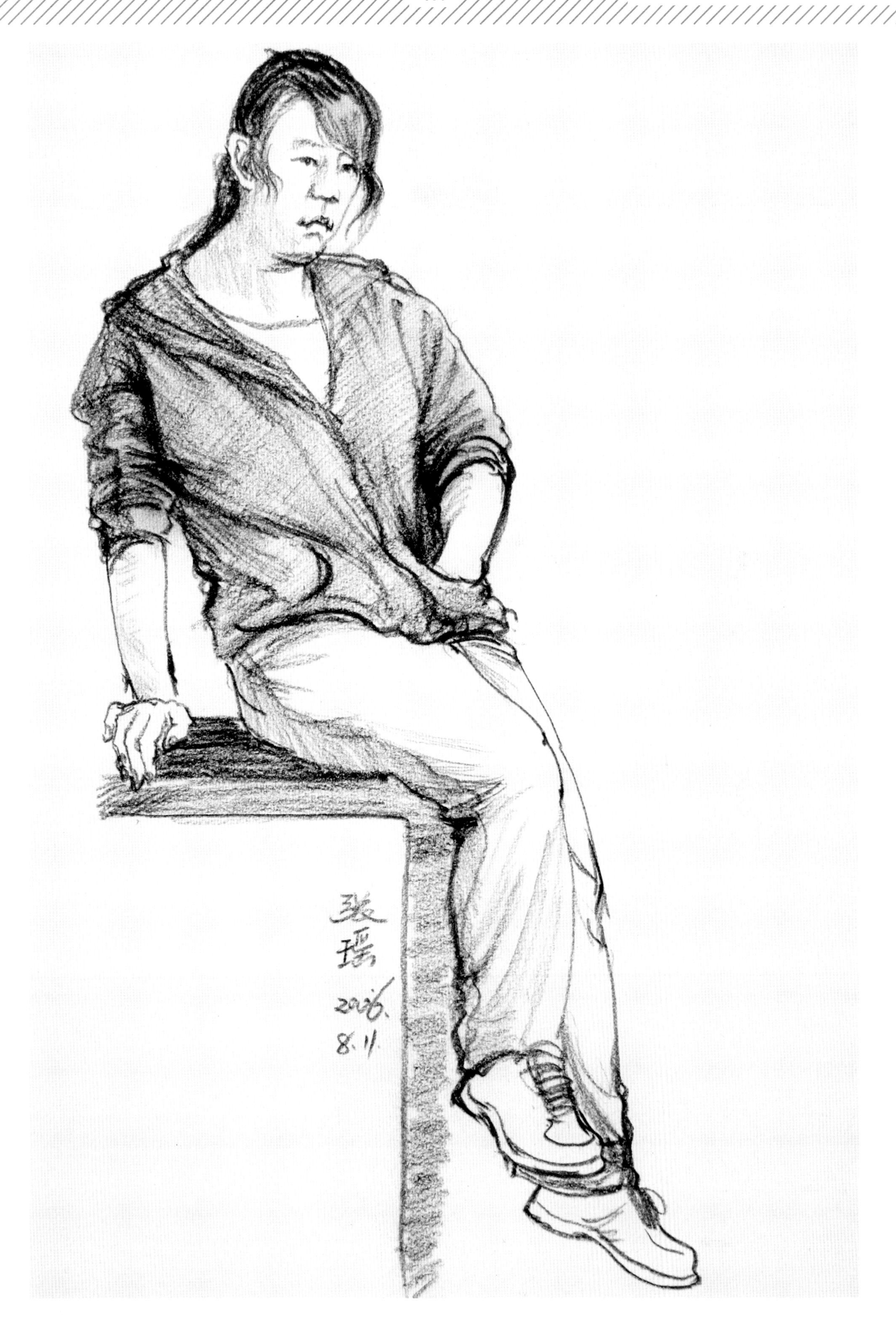
张瑶
2006.
8.11.

08
The Last day
of 08

06.11.28

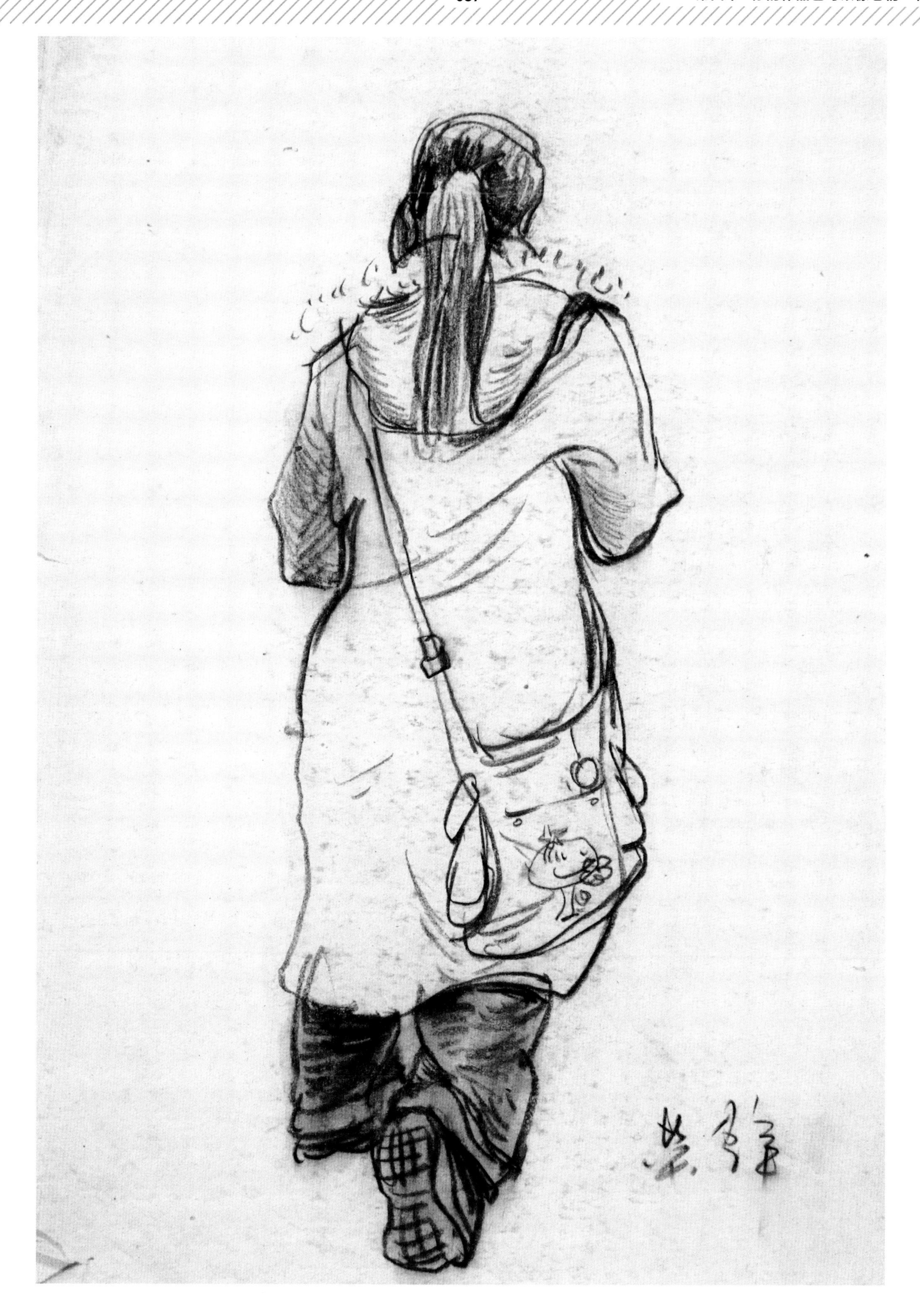

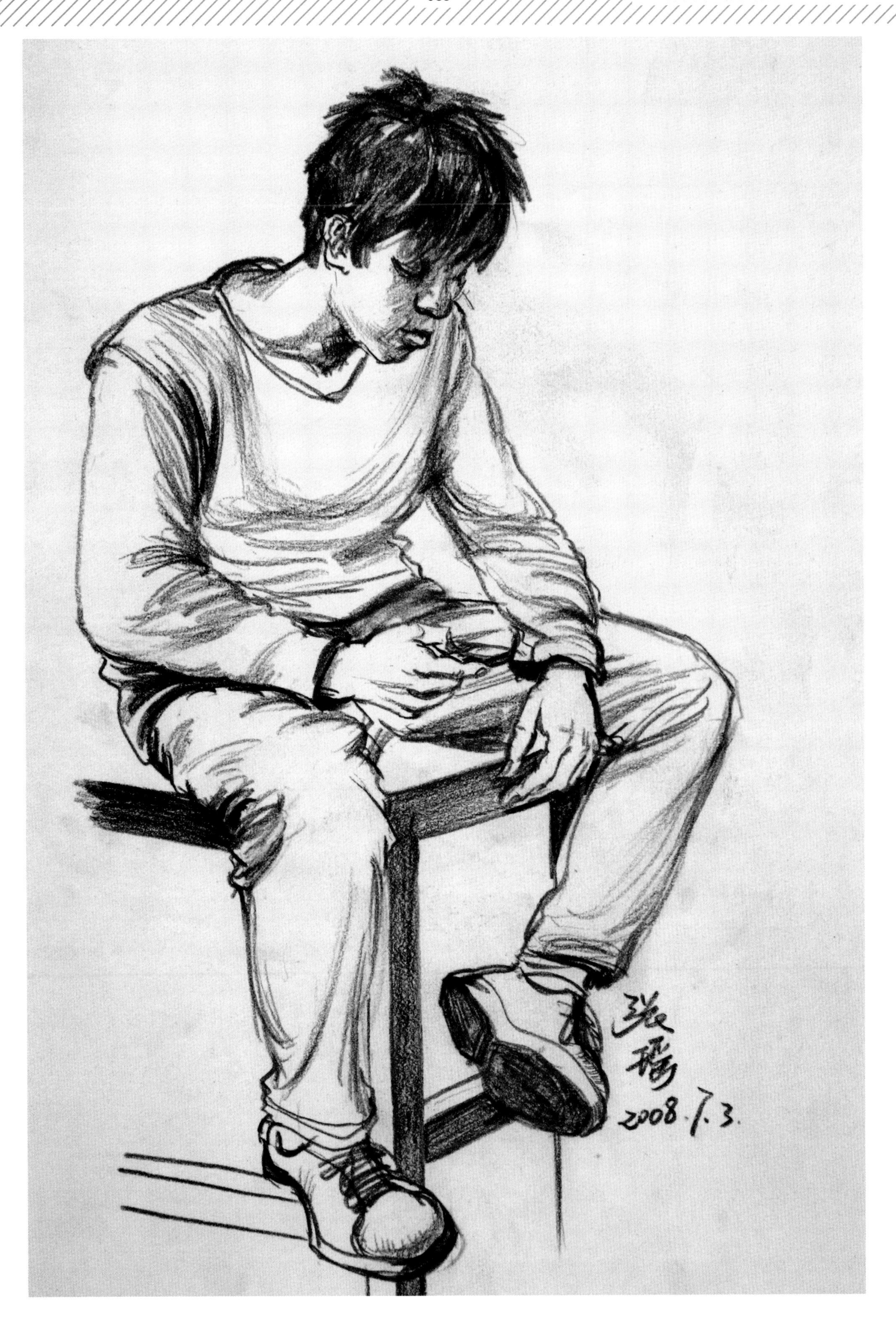
2008.7.3.

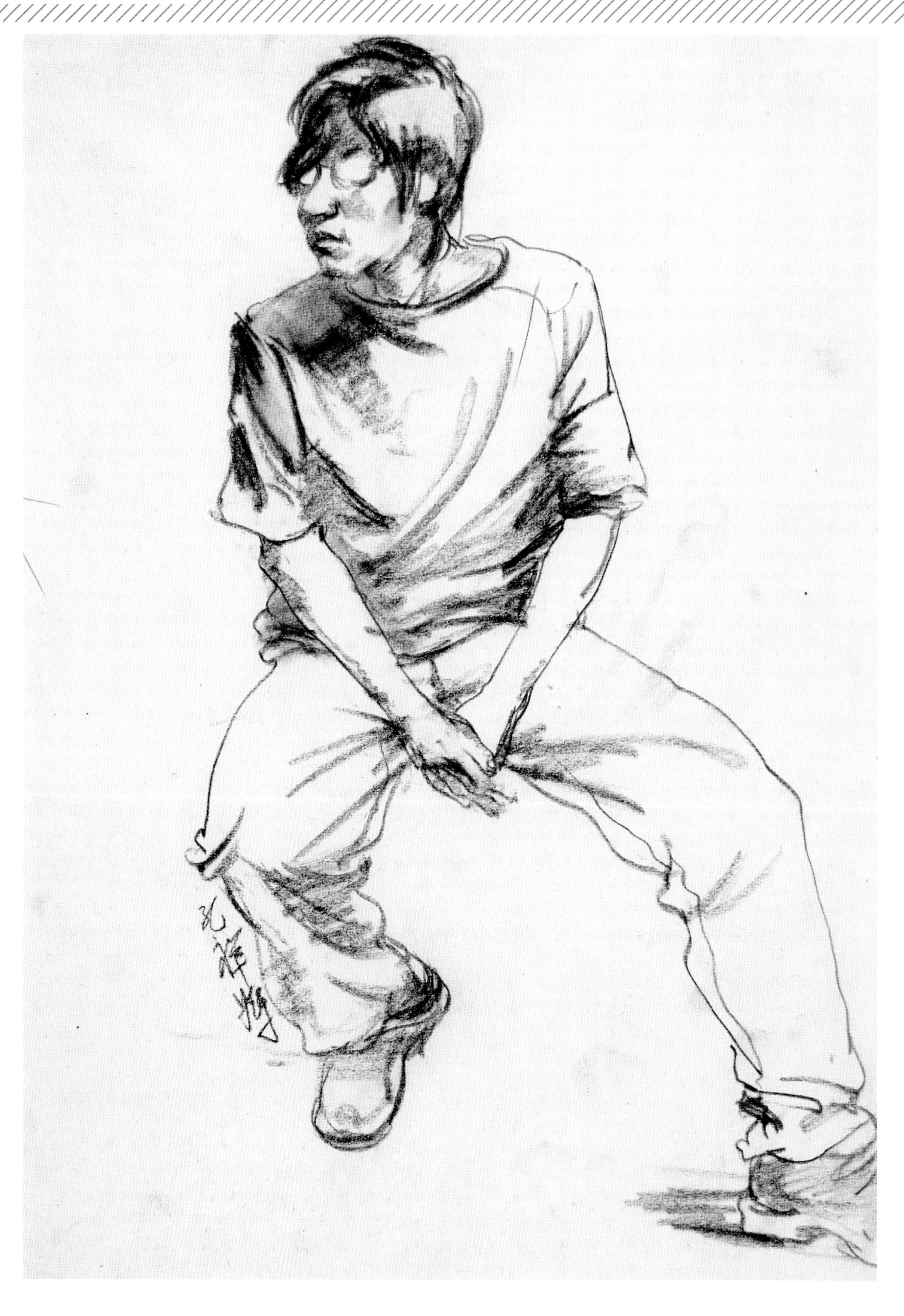

08.10.27

2006.1.2

2005.9.9

LJ
07.12.18

YR051029

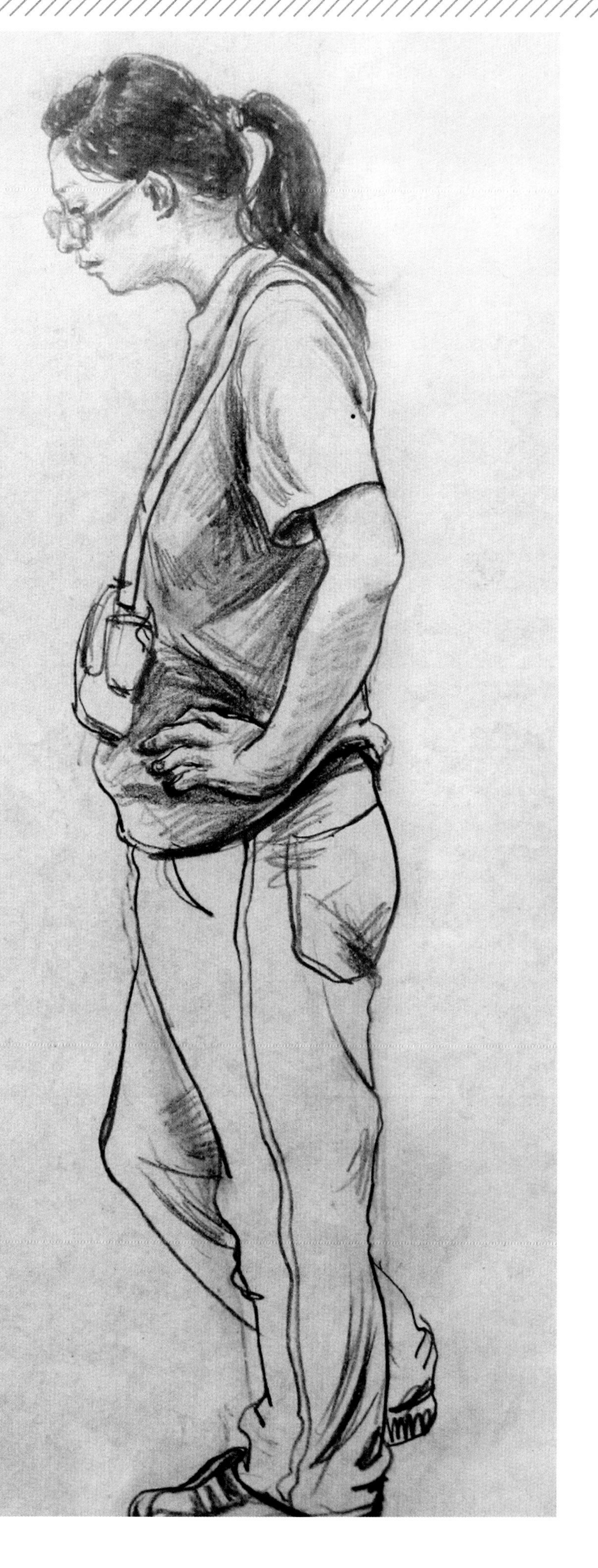
张佳珂
07.09.18

08. 8.13

081031

周达

08.8

08.8.13

刘芳

1.12

沈俊文

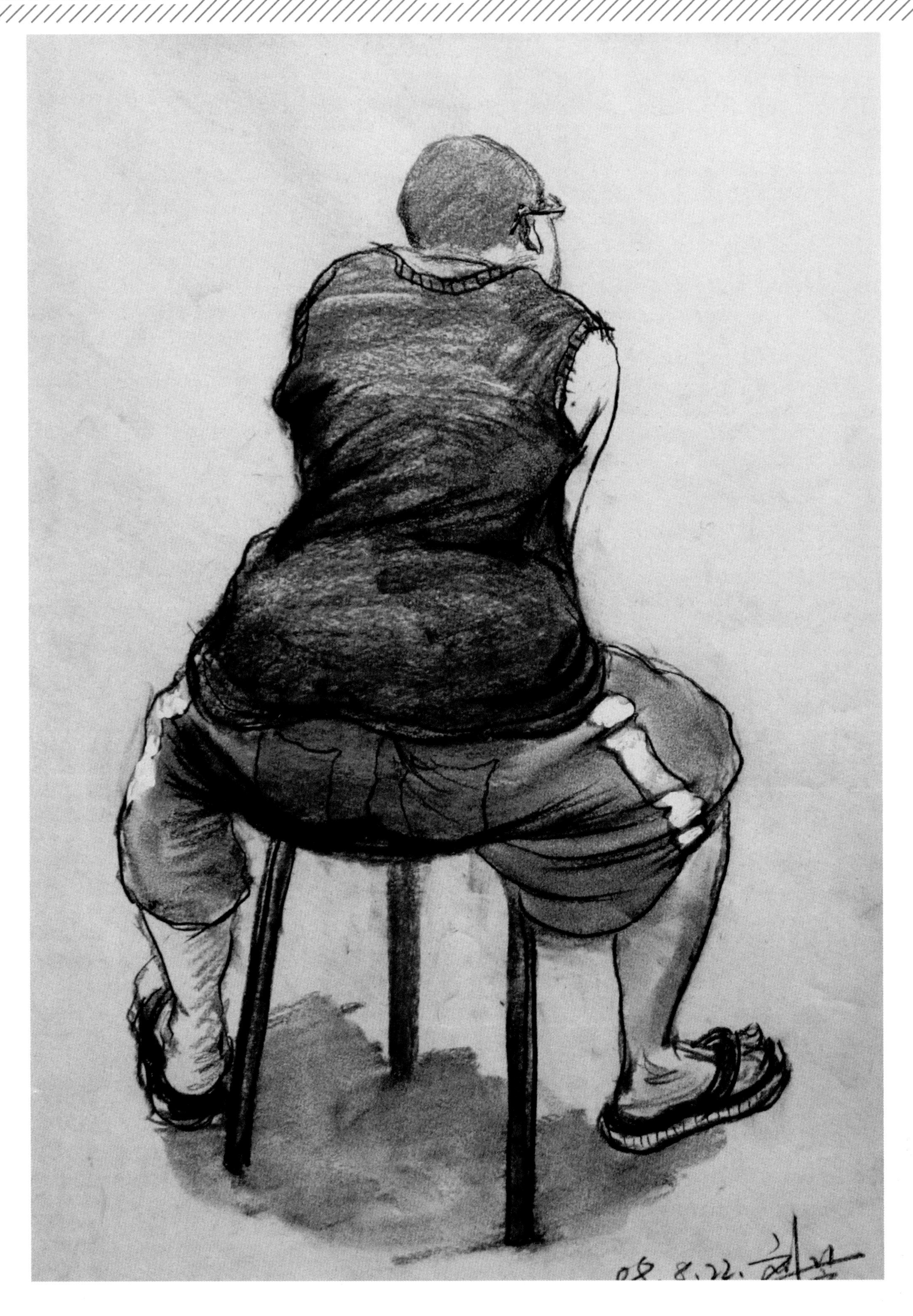

2005.1.15.

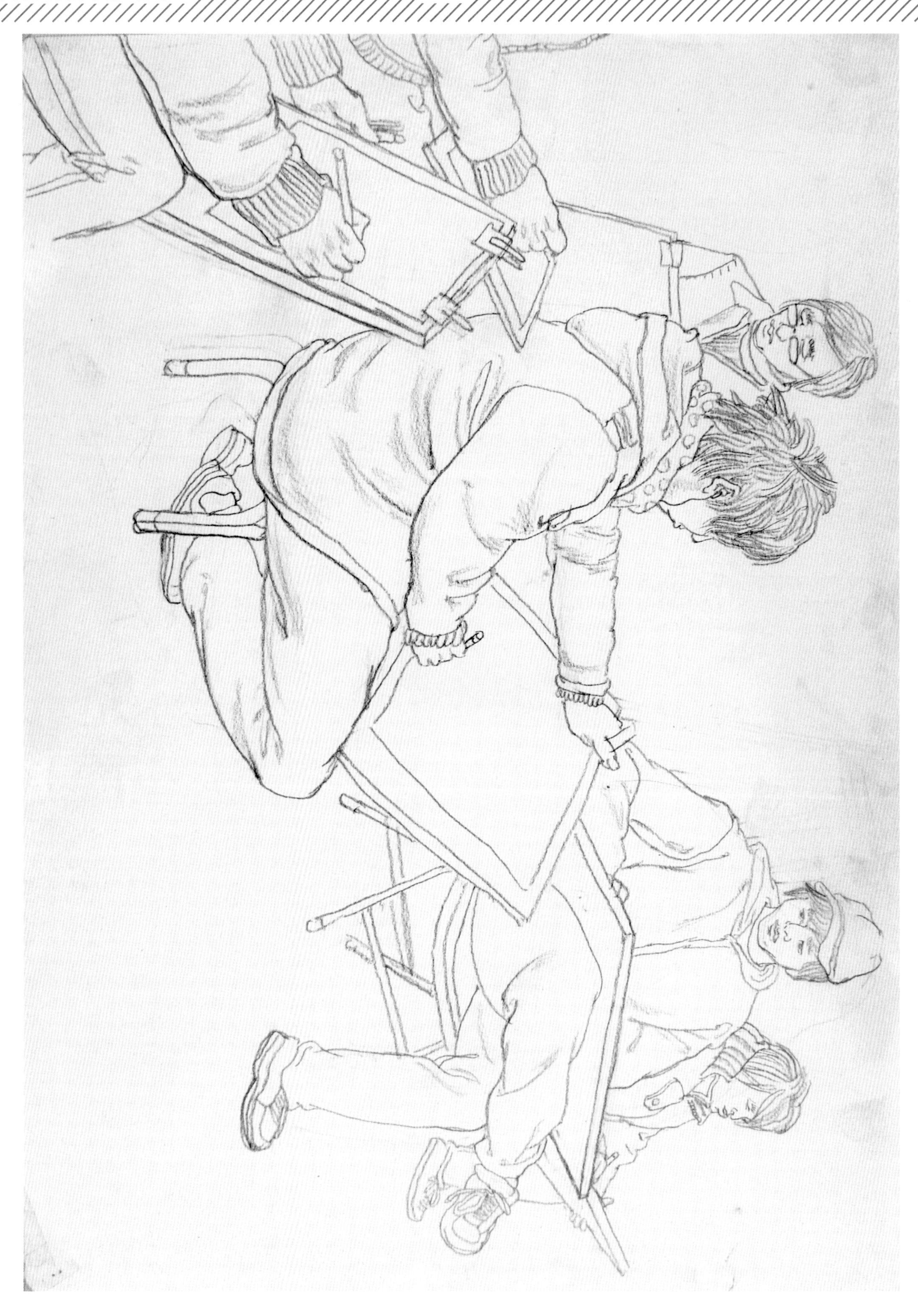

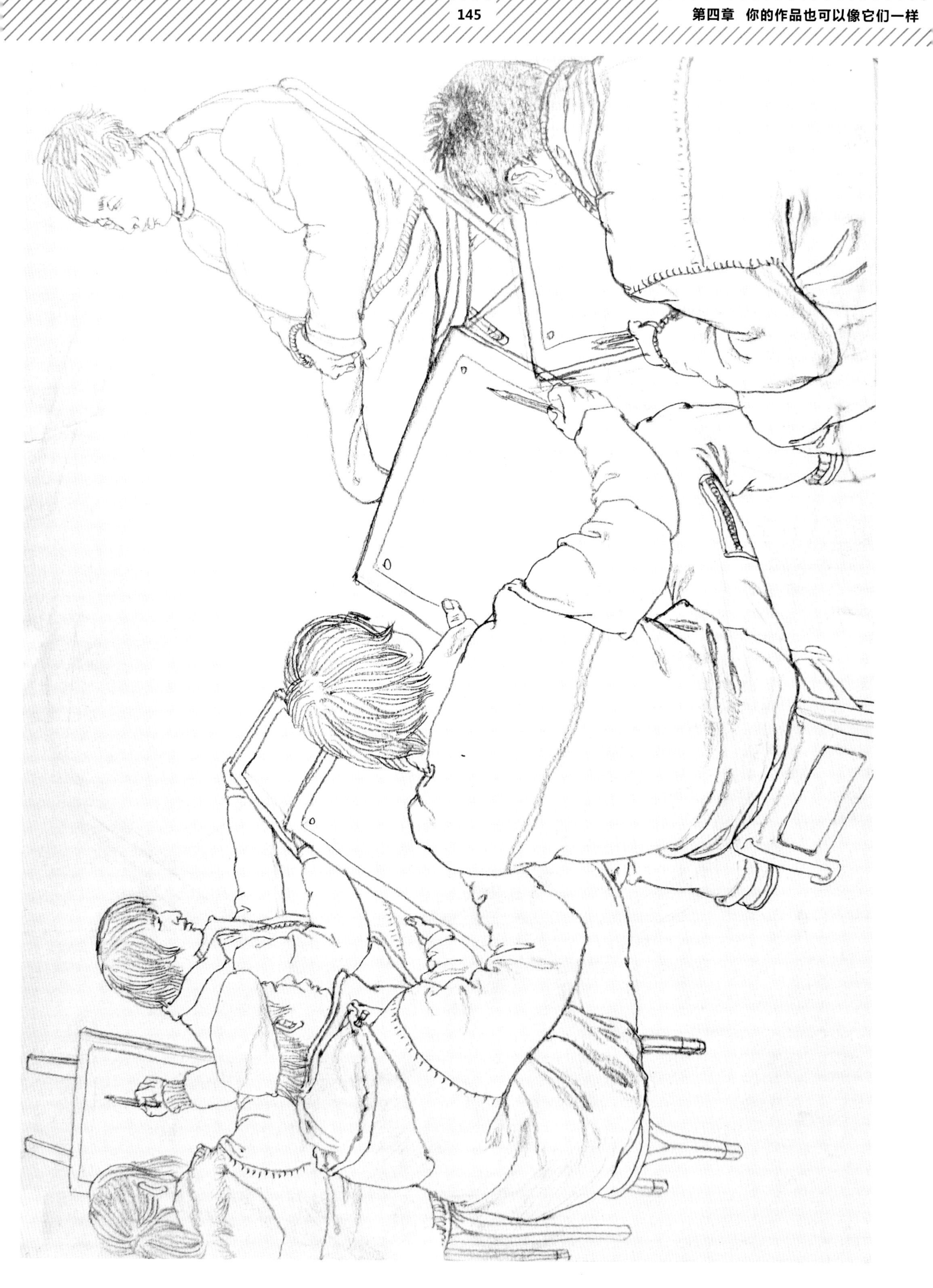

YR2004 1122

第五章 去美院吧

N YOUR WAY TO ART COLLEGE

第一节 速写中的问题与答疑

1.什么是速写?

答：速写是一种快速的写生方法，它是我们学习造型时必不可少的一个环节。速写在很多时候被包含在素描的概念里，我们通常说的“速写“，重点是强调了时间的长短。它同样有空间感、黑白灰关系等，对它的掌握是培养我们的造型能力、概括能力等不可或缺的基础。作为一门独立的艺术形式，它也有自己相应的技法和材料。

2.为什么初学者画速写要由快到慢?

答：因为初学者一般缺少对观察能力和概括能力的训练，在整个过程中，很难做到下笔准确，所以，循序渐进的做法是最适合初学者的。

3.画速写的工具有哪些?

答：速写的基本工具是笔和纸。
笔有铅笔、炭笔、钢笔、木炭条。
纸有图画纸、新闻纸、速写本、速写画夹。

4.铅笔、炭笔、钢笔、木炭条各有什么特点?

答：铅笔：凡画过速写的人都有使用铅笔的经验，画速写适宜使用3B至6B的铅笔，容易接受来自手的压迫作用，画出细腻多变的笔迹效果，是画速写最容易掌握的工具。

炭笔：炭笔的使用方法近似于铅笔，色素比铅笔深，在线条的变化和黑白层次的变化方面比铅笔更加丰富，初学者使用最普遍。

钢笔：钢笔用墨水作画，易于携带，笔迹不易擦花。商店有专门用于速写的钢笔，能画出粗细不同的线条，有相当的表现力。但是修改错误时较困难，初学者掌握起来难度要大一些。

木炭条：适宜画纸张大一些的速写，常常采用侧卧行笔，线条粗犷、简洁，富于艺术表现力。缺点是容易脱落，需要在画后喷定画液来保存。

5.速写考试用什么笔更好?

答：铅笔是我们掌握最好、使用最多最熟练的工具，而且它表现力丰富，又有软硬可以选择，加上容易用橡皮擦修改，所以一般来说，考试都使用铅笔。

6.如何进行面部表情的刻画?

答：与素描一样，速写中的人物表情也是重点的部分。我们要在仔细观察对象的基础上，用比较实的线条流畅地交代出五官、脸型，对于神态可以适当地夸张，以便达到更加生动的艺术效果。

7.如何表现手?

答：手和面部一样，都是揭示人物情绪的重要部分，它们也有着同样复杂的结构，对我们的刻画造成了一定的难度。手的姿态千变万化，而它的结构是由手腕、手掌和手指三部分组成。要记住的是，无论多么复杂的姿态，他们关节的连接处是不会改变的。在确定形体结构准确以后，再对关节处的皮肤纹理作一些深入的刻画，使其更加传神。女性的手要画的柔美，应多采用曲线，男性的手则多用直线，以表现阳刚之美。

8.如何用线面结合的方式画速写?

答：线面结合的方式以线为主，面的运用意在表明物体的明暗或固有色彩，所以，黑、白、灰的层次处理也很重要，它们在画面上能形成反衬、对比关系。黑通过白才能达到极致，而白也需要黑的存在才会充分体现其价值，在黑白二色之间有着广阔丰富的灰面层次，这是绘者要着重深入刻画的地方。这一层次的递进处理直接关系到画面的丰富性和深入性，而画面能否出彩，主要就靠灰这一层次来展现。

9.画场景速写时怎么处理好背景?

答：要场景速写的背景起到烘托气氛的作用，我们要准确地把握它的透视，对复杂的背景进行主观的概括与取舍。

10.怎样画好动态速写?

答：要画好动态速写，需要在弄清刚才讲过的比例和透视的基础上，将人体复杂的机体组织简化成各种几何形体。比如，身体是立方体，四肢是圆柱体，也可以进一步在外轮廓边沿线上寻找向内延伸的切线来表现形体的内部结构。

11.什么是慢写?

答：慢写的“慢”是相对于速写的“速”而言的，所以，其追求的仍然是速写的准确与简洁，切莫当作素描来画。慢写能够培养心、眼、手的协调能力。初学者在有充足时间的情况下可以有更仔细的观察、取舍、修改和刻画，有考虑问题的余地。

12.好速写的标准是什么?

答：合理的构图，正确的比例，准确的空间关系，清楚的人物穿插，流畅的线条，生动的动态和神态，精彩的细节刻画。

13.速写有哪几种表现方法?

答：速写有线条的表现方式，块面的表现方式，以及线面结合的表现方式。

14.近期画画感觉没有以前好，如何调整?

答：这是正常的，完全不必担心。要知道，绘画的进步是“台阶式”而不是“斜坡式”的，当到了一个阶段的时候，需要吸收新的知识来实现下一次的飞跃，这个时候应该多和同学交流，多向老师请教，多翻阅专业书籍，再看看本书上面的基本知识和局部技巧。相信量的积累定会为同学们带来质的飞跃。

15.缺少对于考试的紧迫感，只是着急，怎么办?

答：在这种时候，盲目的着急是会起反作用的。我们应该理清思路，调整状态，切不能妨碍了学习进程。应多和同学们交流心得，看看同学们的心态以及学习方式；查阅要报考的学校和专业的信息等，这样就可以提高学习的积极性，在此动力下寻找到一种良性的急迫感。

第二节 速写的评分标准

大多数情况下，美术考试是有规律可循的，这个规律就是高校老师对高考试卷的评分标准。很显然，如果我们知道了评分标准，按照标准去做，得高分自然就容易多了。我们根据自身与很多亲自参与评卷老师的经验，作了如下的评分标准分析，供大家参考。

在评卷现场，所有的画都铺在地板上，改卷子的老师们会先将所有的画分为两类：及格的(A、B、C类卷)与不及格的(D类卷)。实际上，就是将不及格的卷子先剔除出去。接下来，评卷老师会在这些及格的卷子中选出高分的优秀考卷(A类卷)。在阅卷过程中，评卷人往往最先挑出最差的与最好的，因为它们是最容易区分的：前者看起来给人的感受会很不舒服，而后者会让人看后感到愉悦，过目不忘。以素描为例，这些考卷之所以好或者不好，其原因都是它们在构图、造型、黑白灰关系、细节处理等要素上做得好，或很差(这些要素的权衡比例一般为：构图占15%，造型与比例占35%，细节深入与局部刻画占25%，表现手段与技法占20%)。一场考试中，考卷成绩一般都成枣核型分布：最好的与最差的都是少数，中间级别的卷子往往占多数。评卷老师会将留下的卷子再继续按照构图、造型、黑白灰关系、细节处理等要素分出若干等级。相对而言，那些在第一步就被淘汰的卷子就是因为上述几个要素都没有达到相应的要求。

下面是考卷的评分标准(以满分为100分计)：

A类卷(90～100分)：
1.符合试题规定及要求；
2.比例正确、动态特征鲜明生动，能熟练、概括地运用线条来表现客观对象；
3.能根据命题想象人体的动态，表达出规定动作的特点和组合能力；
4.关键细节有确切表现。

B类卷(75～89分)：
1.符合试题的规定及要求；
2.比例比较准确，动态特征比较鲜明，写生动态线条比较生动；
3.能较好地表达命题想象规定的动作和组合能力。

C类卷(60～74分)：
1.基本符合考题的规定及要求；
2.对不同变化的对象动态、比例能基本把握，但动态较呆板，线条表现力一般；
3.基本能画出命题想象的动态和人物组合，但想象力有限，缺乏生动性。

D类卷(59分以下)：
1.不符合试题规定及要求；
2.在比例动态上缺乏准确性和生动性，速写的写生能力和想象能力均较为薄弱，线条表现力差；
3.不具备速写基本能力，画面效果差。

第三节 近年部分院校速写考题

中央美院
09造型专业
速写写生(4开，1小时)
08造型专业
速写：画考试现场，要求3-5人
设计专业
速写：窗前的中年妇女

清华美术学院
08造型：
人物速写：1.站立，重心在右腿，双臂交叉在前 2.坐在椅子上的 3.靠椅背站立

广州美术学院
08(河南考点)
创意速写/创作：夏天的阳光

天津美术学院
09速写：三个人物动作：站，坐，蹲，都在看手里拿着的报纸

北京服装学院
08创意速写：以太阳与车轮为设计元素，分别表示快速(车轮)、缓慢(太阳)

中国传媒大学
08戏剧影视美术专业(北京考点)
人物速写：一个静态(5分钟) 一个动态(15分钟)

首都师范大学
09第一场：速写，男年青写生(两张，一站一坐)
第二场：速写，男青年写生(两张，一站一坐)
08速写：人物写生，一站一坐

湖北美术学院
08速写：人物照片，选其中两个人物来画

中国人民大学
09速写：男青年写生(两张，一站一坐)

河北联考
09速写：单手扶膝的男青年写生
08写生：人物坐姿(20分钟)

河南联考
08动态速写：默写提水桶的人

湖南联考
08速写：人物坐姿(45分钟)

第四节 部分院校乘车路线

中央美术学院
从北京站出发
线路 1 从北京站出发,乘坐地铁2号线外环(西直门-西直门),在东直门换乘地铁13号线(西直门-东直门),到望京西下车,在城铁望京西站换乘471路(城铁望京西站-城铁望京西站),抵达花家地南街.约15.14公里
线路 2 从北京站出发,乘坐24路下行(北京站-左家庄),在左家庄换乘975路区间上行(东直门外-后沙峪公交场站),抵达花家地南里.约13.52公里
从北京西站出发
线路 1 从北京西站出发,乘坐47路下行(小马厂-海淀桥东),到长椿街路口东下车,在长椿街换乘地铁2号线内环(积水潭-积水潭),在东直门换乘地铁13号线(西直门-东直门),到望京西下车,在城铁望京西站换乘471路(城铁望京西站-城铁望京西站),抵达花家地南街.约29.64公里
线路 2 从北京西站出发,乘坐823路下行(北京西站-东直门外),在东直门外换乘975路区间上行(东直门外-后沙峪公交场站),抵达花家地南里.约27.49公里

清华大学美术学院
从北京西站出发
线路 1 北京西站乘320路上行(北京西站-西苑)在清华大学西门下车。全程约13.74公里
线路 2 北京西站乘319路上行(北京西站-西苑)在清华园下车。全程约14.94公里
从北京站出发
线路 1 北京站口东乘37路上行(方庄北口-航天桥东)在国家工商总局 下车换乘319路上行(北京西站-西苑)在清华园下车。全程约20.5公里
线路 2 北京站口东乘52路下行(平乐园-北京西站)在木樨地东下车换乘320路上行(北京西站-西苑)在清华大学西门下车。全程约18.87公里

中国美术学院
从火车站出发
线路 1 从火车站出发,乘坐K188路(汽车北站-城站火车站)在开元路换乘38/K38路(朝晖五区-清波门)抵达钱王祠路口.约3.37公里
线路 2 从城站火车站出发,乘坐Y2路(城站火车站-灵隐)在清波门换乘38/K38路(朝晖五区-清波门)抵达钱王祠路口.约3.53公里

首都师范大学

从北京站出发
线路 1 北京站口东乘37路上行(方庄北口-航天桥东)在航天桥东下车。全程约13.22公里
线路 2 北京站口东乘1路区间下行(大北窑西-马官营)在公主坟东下车换乘374路下行(北京西站-颐和园新建宫门)在花园桥南下车。全程约13.81公里
从北京西站出发
线路 1 北京西站乘437路上行(北京西站-颐和园新建宫门)在 花园桥南下车。全程约6.14公里
线路 2 北京西站乘374路下行(北京西站-颐和园新建宫门)在花园桥南下车。全程约5.69公里

中国人民大学

从北京西站出发
线路 1 北京西站乘320路上行(北京西站-西苑)在人民大学下车 。全程约10.81公里
线路 2 北京西站乘特6路上行(北京西站-韩家川南站)在人民大学下车。全程约10.64公里
从北京站出发
线路 1 北京站口东乘52路下行(平乐园-北京西站)在木樨地东下车换乘320路上行(北京西站-西苑)在人民大学下车
线路 2 北京站口东乘52路下行(平乐园-北京西站)在木樨地东下车换乘320路区间车上行(北京西站-保福寺桥西)在人民大学下车

中央民族大学

从北京西站出发
线路 1 北京西站乘320路区间车上行[直达]
线路 2 北京西站乘319路上行[直达]在中央民族大学下车
从北京站出发
线路 1 北京站口东乘52路下行(平乐园-北京西站)在木樨地东下车换乘320路区间车上行(北京西站-保福寺桥西)在中央民族大学下车。全程约13.79公里
线路 2 北京站口东乘37路上行(方庄北口-航天桥东)在国家工商总局下车换乘319路上行(北京西站-西苑)在中央民族大学下车。全程约14.52公里

北京服装学院

从北京西站出发
线路 1 北京西站乘坐387路上行(北京西站-慧忠路东口)在蓟门桥东换乘367路上行(巴沟村-国际展览中心)抵达太阳宫桥.约20.14公里
线路 2 北京西站乘坐47路下行(小马厂-海淀桥东)在铁狮子坟换乘运通104路下行(金庄-广顺南大街北口)抵达太阳宫桥.约20.24公里
从北京站出发
线路 1 北京站前街出发,乘坐674路上行(北京华侨城-惠新东桥西)在中日医院换乘419路下行(东北旺中路-甘露园)抵达太阳宫桥.约8.98公里
线路 2 北京站前街出发,乘坐674路上行(北京华侨城-惠新东桥西)在中日医院换乘379路上行(育新小区-左家庄)抵达太阳宫桥.约8.97公里

北京印刷学院

从北京站出发
线路 1 乘坐地铁2号线内环(积水潭-积水潭)到阜成门下车在阜成门内换乘456路上行(阜成门内-黄村火车站北)抵达清源西里.约38.51公里
线路 2 北京站前街出发,乘坐122路上行(北京站东-北京西站东)在菜户营桥北换乘410路下行(北京西站南广场-黄村火车站北)抵达清源西里.约34.61公里
从北京西站出发
线路 1 北京西站南广场乘410路下行(北京西站南广场-汇源路公交站)在清源西里下车。全程约18.91公里
线路 2 北京西站南广场乘53路上行(北京西站东-四方桥西)在广安门南下车换乘456路上行(阜成门内-汇源路公交站)在清源西里下车。全程约23.58公里

江南大学

从火车站出发
线路 1 从新光村出发,乘坐501路下行(铁路货运站-火车站)在商业大厦(崇安寺)换乘87路上行(火车站-鼋头渚(犊山))抵达青山湾(江苏省荣军医院).约10.92公里
线路 2 从新光村出发,乘坐501路下行(铁路货运站-火车站)在跨塘桥换乘27路下行(河埒口-河埒口)抵达青山湾(江苏省荣军医院).约12.12公里

天津美术学院

从火车站出发
华越道乘607路(华越道-杨村客运站)在河北三马路下车。全程约2.06公里
天津站乘702路(天津站-于家堡(井冈山路))在狮子林桥下车。全程约2.09公里

第五节 部分院校周边住宿信息

中央民族大学
中协宾馆 法华寺街22号 电话：010-68413355
韦伯宾馆 魏公村街1号 电话：010-88571158
青年假日酒店 民族大学西路58号 电话：010-68937201
北京服装学院
北京市太阳宫旅馆 樱花东街12号 电话：010-64221898
北京天津宾馆 和平街12区5号 电话：010-64271616
北京毕派克饭店 和平街北口樱花东街12号 电话：010-64262302
中央美术学院
汉庭快捷(北京望京店)北京市朝阳区望京阜通东大街金兴路2号(邻西门子大厦)电话：010-64758855
如家(望京花家地店)朝阳区望京花家地小区2号楼
电话：010-64733311
清华大学
北京清华园宾馆 成府路45-1号 电话：010-62573355
北京和家宾馆(北四环店0成府路华清嘉园22号楼
电话：010-82629013
首都师范大学
金龙潭大饭店 西三环北路71号 电话：010-68723626
京荣园宾馆 北洼路28号B座 电话：010-68712798
华天之星酒店(花园桥店)海淀区车公庄西路33号
电话：010-88417888
北京电影学院
北京金元宾馆 新街口外大街28号北小楼
金麒麟宾馆 志强北园1号
中国人民大学
盛唐宾馆 苏州街53号
世纪都桥宾馆 三义庙2号院 电话：010-62545159
东华大学
上海喜天游大酒店 中山西路827号 电话：021-62191100
沪汉宾馆 天山路1898 电话：021-62281898
中国美术学院
杭州伊莲假日酒店 南山路218 电话：021-87164788

作品索引 illustration index

025 026 027 043 044 045
028 029 030 046 047 048
031 032 033 049 050 051
034 035 036 052 053 054
037 038 039 055 056 057
040 041 042 058 059 060

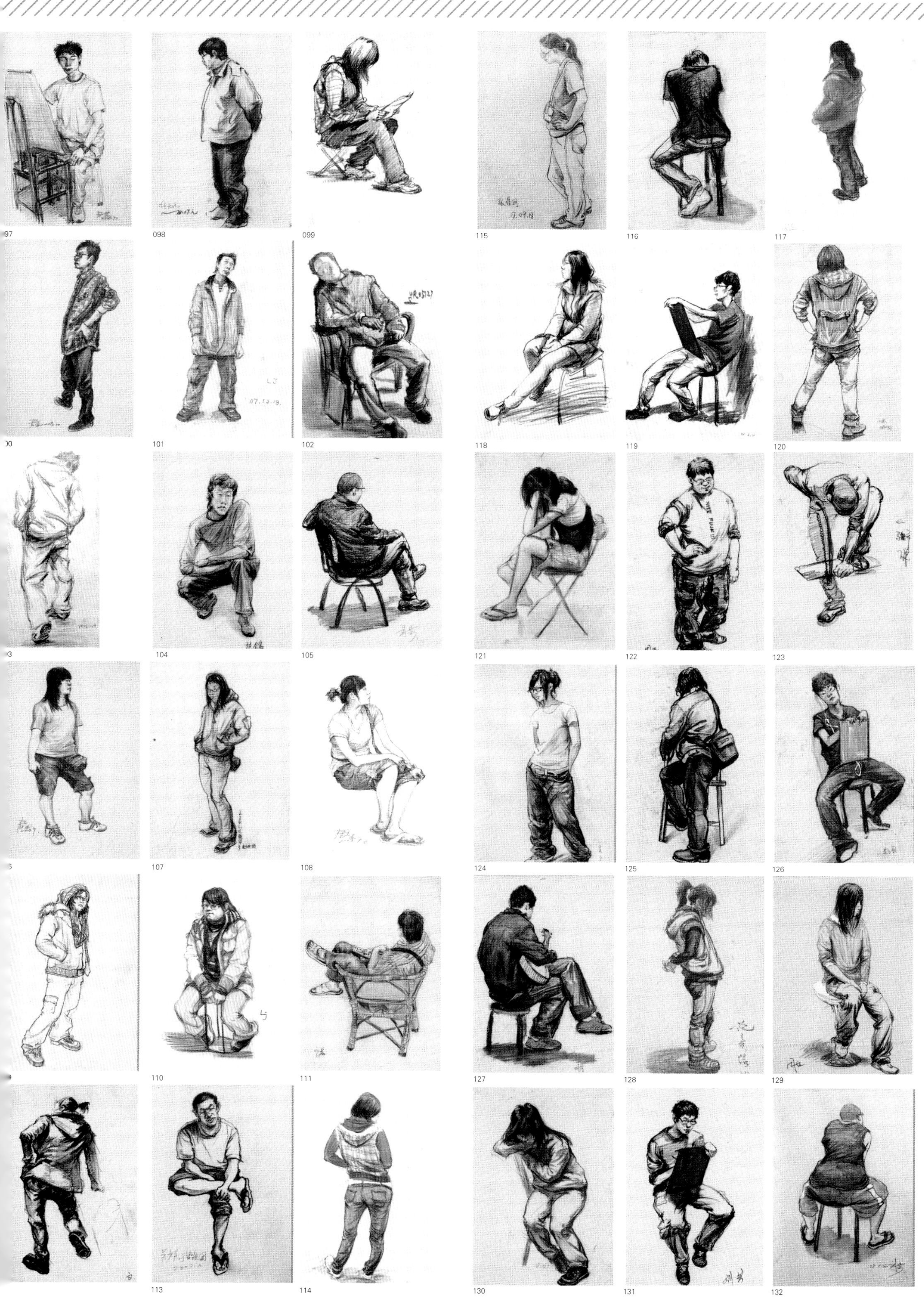

97 098 099 115 116 117

0 101 102 118 119 120

3 104 105 121 122 123

107 108 124 125 126

110 111 127 128 129

113 114 130 131 132

133 134 135 151 152 153 136 137 138 154 155 156 139 140 141 157 158 159 142 143 144 160 161 162 145 146 147 163 164 165 148 149 150 166 167 168